LA MORT
AU PLURIEL

DE LA MÊME AUTEURE:

22 nombres et leurs secrets, Éditions Québec Loisirs, 2012

Au secours de Mimi, tome III, série Chez Mimi, Béliveau Éditeur, 2011

22 nombres et leurs secrets, Béliveau Éditeur, 2010

L'affaire Léonie Lachance, tome II série Chez Mimi, Béliveau Éditeur, 2009

Elvira, la vipère, tome I série Chez Mimi, Béliveau Éditeur, 2008

Un Lac Un Fjord Un Fleuve XI - Mensonge : Nouvelle : L'arc-en-ciel de Leila Archambault, Les Éditions SM, 2005

Les Marchandes d'espoir, Éditions Québec Loisirs, 2004

Les Marchandes d'espoir, Éditions JCL, 2004

Parfum d'anges, Éditions Québec Loisirs, 2003

Parfum d'anges, Éditions JCL, 2003

Les Chemins de papier, Éditions Québec Loisirs, 2002

Les Chemins de papier, Éditions JCL, 2002

PRIX ET BOURSES :

2006 : Prix littéraires Radio-Canada : *Nouvelle La Manchette*, classée parmi les 28 premiers sur 342 soumissions.

2002 : Prix littéraire La Plume Saguenéenne pour *Les Chemins de papier*

HÉLÈNE POTVIN

LA MORT AU PLURIEL

SUSPENSE
ÉDITIONS
LASEMAINE

Une société de Québecor Média

LES ÉDITIONS LA SEMAINE
Charron éditeur inc.
Une société de Québecor Média
1055, boul. René-Lévesque Est, bureau 205
Montréal (Québec) H2L 4S5

Directrice des éditions : Annie Tonneau
Directeur artistique : Bernard Langlois
Coordonnateur aux éditions : Jean-François Gosselin

Maquette de la couverture : Bernard Langlois
Réviseures-correctrices : Andrée Laganière, Marie Théorêt, Luce Langlois
Infographie : Claude Bergeron

Cet ouvrage est une œuvre de fiction. Toute ressemblance avec des personnes réelles ou avec des événements ayant eu lieu, est purement fortuite.

L'éditeur bénéficie du soutien de la Société de développement des entreprises culturelles du Québec (SODEC) pour son programme d'édition.

Nous reconnaissons l'aide financière du gouvernement du Canada par l'entremise du Fonds du livre du Canada pour nos activités d'édition.

REMERCIEMENTS
Gouvernement du Québec (Québec) — Programme de crédit d'impôt pour l'édition de livres — Gestion SODEC

Dépôt légal : troisième trimestre 2014
Bibliothèque et Archives nationales du Québec
Bibliothèque et Archives Canada

ISBN (version imprimée) : 978-2-89703-213-5
ISBN (version électronique) : 978-2-89703-253-1

*Un écrivain digne de ce nom a mille
âmes de rechange et au moins une douzaine
de cœurs rarement inemployés.*

(Inconnu)

DISTRIBUTEURS EXCLUSIFS

- Pour le Canada et les États-Unis :
MESSAGERIES ADP*
2315, rue de la Province
Longueuil (Québec) J4G 1G4
Tél. : 450 640-1237
Télécopieur : 450 674-6237
* une division du Groupe Sogides inc.,
filiale du Groupe Livre Québecor Média inc.

- Pour la France et les autres pays :
INTERFORUM editis
Immeuble Paryseine, 3, Allée de la Seine
94854 Ivry CEDEX
Tél. : 33 (0) 4 49 59 11 56/91
Télécopieur : 33 (0) 1 49 59 11 33

Service commande France métropolitaine
Tél. : 33 (0) 2 38 32 71 00
Télécopieur : 33 (0) 2 38 32 71 28
Internet : www.interforum.fr

**Service commandes Export –
DOM-TOM**
Télécopieur : 33 (0) 2 38 32 78 86
Internet : www.interforum.fr
Courriel : cdes-export@interforum.fr

- Pour la Suisse :
INTERFORUM editis SUISSE
Case postale 69 – CH 1701 Fribourg – Suisse
Tél. : 41 (0) 26 460 80 60
Télécopieur : 41 (0) 26 460 80 68
Internet : www.interforumsuisse.ch
Courriel : office@interforumsuisse.ch

Distributeur : OLF S.A.
ZI. 3, Corminboeuf
Case postale 1061 – CH 1701 Fribourg – Suisse

Commandes : Tél. : 41 (0) 26 467 53 33
Télécopieur : 41 (0) 26 467 54 66
Internet : www.olf.ch
Courriel : information@olf.ch

- Pour la Belgique et le Luxembourg :
INTERFORUM BENELUX S.A.
Fond Jean-Pâques, 6
B-1348 Louvain-La-Neuve
Tél. : 00 32 10 42 03 20
Télécopieur : 00 32 10 41 20 24

À toutes celles et ceux qui, depuis le début de mon voyage littéraire, m'encouragent, me lisent et m'accompagnent sur « mes » chemins de papier.

Madeleine Bonneau

Un soleil de plomb dorait la surface de l'eau de milliers d'étoiles scintillantes, brûlant le sable et quelques peaux laiteuses au passage. S'ajustant au rythme des splendides yachts amarrés ici et là, non loin du rivage, des dizaines de parasols aux motifs multiples et colorés tanguaient légèrement au gré du vent du sud. Ils abritaient surtout des bébés ou de très jeunes enfants qu'on gardait précieusement à l'ombre. En ce jour de canicule d'un mois d'août aussi exceptionnel que juillet l'avait été, l'eau était chaude et la plage, bondée. Un goéland solitaire traversa le ciel, lentement, sans bruit d'ailes, allant partout et nulle part à la fois. Peut-être voyageait-il simplement dans le temps. Peut-être s'assurait-il seulement de l'état du monde, se dispersant dans l'infini du ciel tandis que les hommes s'entassaient sur des grains de sable. Tout était à sa place, dans l'ordre naturel des choses. À travers les rires ou les pleurs des petits, les éclats de voix, les jeux, les airs de musique à la mode, le clapotis des vagues, son vol gracieux, silencieux et extraordinairement présent passa inaperçu, sauf pour quelques rares personnes, dont Madeleine Bonneau.

Elle l'admira encore et encore. Lui envia sa grâce, et sa fière solitude. Elle le suivit jusqu'à ce qu'il disparaisse de son champ visuel.

Elle posa son livre sur le sable et regarda lentement autour d'elle, son chapeau lui couvrant presque les yeux. Il régnait partout une ambiance du tonnerre, un esprit de vacances ; on laissait libre cours à la *dolce vita* ! Elle se sentit de merveilleuse humeur, et ne put s'empêcher de penser qu'elle pourrait fort bien se croire en cet instant quelque part en Virginie ou sur la Côte Bleue, en France. L'air était chargé de vapeurs chaudes et humides comme si un voile avait été posé sur la nature afin d'en estomper les contours. Plus rien n'était précis, tout semblait indéfinissable ou trouble, avec plein de langueur, de moiteur, de sensualité latente, un peu comme ces tableaux impressionnistes qu'elle aimait tant. *Certains jours, et dans certaines conditions,* songea-t-elle, *l'ailleurs tant rêvé devient l'ici.*

L'ici, c'était la région du Lac-Saint-Jean où elle vivait, pourtant située au 48e parallèle, en Amérique du Nord. Il y faisait 34 degrés à l'ombre, et cela, depuis plusieurs jours. Bouleversements climatiques ou non, on se croyait décidément ailleurs, au *sud du sud...*

Elle observa un homme seul qu'elle avait remarqué (*repéré* serait un terme plus juste) à son arrivée. Il était grand, athlétique et bronzé. Jeune soixantaine ou fin cinquantaine. Mais on lui donnait quelques années de moins, venant ainsi rattraper son âge à elle : 52 ans. L'absence de *bedaine de bière* et de double menton, et l'abondance de beaux cheveux poivre et sel l'avantageaient en ce sens. Mado était très attirée par tout ce qui sortait de l'ordinaire, et l'inconnu répondait à ce critère. Cette fascination l'avait d'ailleurs amenée à pratiquer un métier hors du commun et plutôt rare chez une femme : policière d'abord, pour devenir enquêteure par la suite. Pour le patron du bureau des enquêtes d'Alma, Jean-Guy Pronovost, les quatre femmes et autant d'hommes sous ses ordres étaient des enquêteurs. La seule différence qu'il faisait entre eux était ce petit *e* qu'il ajoutait, lui, à la fin. Car le terme exact, *enquêteuse*, l'irritait au plus haut point. Le public en général avait tendance, lui, à dire *enquêtrice*. Madeleine devait souvent corriger les gens à propos de son titre, car *enquêtrice* signifie plutôt une personne qui effectue des enquêtes ou des sondages. Une *enquêteure* de police, elle, est chargée d'une enquête. Ses collègues l'appelaient tout simplement *Bonneau*.

L'inconnu chaussa ses lunettes, et ce geste anodin plut à Madeleine. Déformation professionnelle sans doute, puisqu'elle s'accrochait aux détails, avant même de considérer l'ensemble ou le portrait global. Il se retourna d'un coup, s'assit carrément en face d'elle et leurs regards se croisèrent. En d'autres temps et d'autres ailleurs, Madeleine lui aurait sûrement fait un signe ou un sourire invitant, vu qu'il l'attirait vraiment. La gêne, la timidité, la réserve et la patience n'étaient pas sa tasse de thé. Mais ici et maintenant, elle n'en fit rien. Elle attendit, se contentant de lui rendre son regard. Un court instant, il lui sembla qu'il allait se lever et l'aborder. Elle croyait peu probable qu'il l'ait reconnue, ses apparitions à la télé ou dans les journaux se faisant plutôt rares. De plus, le contexte actuel ne s'y prêtait pas : la plage, son bikini, son chapeau, ses verres teintés. Et Madeleine était bien placée pour connaître les bizarreries et les fourvoiements du *hors contexte*. Contre toute attente, il n'en fit rien. Il lui tourna le dos aussi vite qu'il lui avait fait face, enleva ses lunettes, s'allongea sur sa chaise et, fermant les yeux, abandonna de nouveau son corps athlétique aux brûlants rayons du soleil.

Pendant quelques secondes, Madeleine regretta la promesse qu'elle s'était faite : celle de ne plus faire le premier pas avec les hommes.

Tant de premiers pas (elle avait réalisé récemment qu'elle avait fait le premier pas dans toutes ses relations sentimentales sans exception) l'avaient, intentionnellement ou non, menée *nulle part* qu'elle s'était juré d'attendre sur place celui qui choisirait de son plein gré de lui faire signe ou de l'aborder. Elle n'était pas superstitieuse, mais quand même. Elle était lasse des « liaisons » de tout genre, des idylles, des coups de foudre qui s'avèrent finalement déchirants, souhaitant plutôt que le sentiment amoureux prime enfin sur les sensations et l'attirance physiques, le désir sexuel et la passion. L'homme espéré devrait être capable d'accepter les contraintes de son métier et de l'aimer inconditionnellement et pour longtemps. Une relation durable, voilà ce qu'elle voulait. Sinon, autant rester seule.

« *Le fond du cœur est pas mal plus loin que le bout du monde.* » Ces paroles tirées d'un film sur la vie d'un pianiste à la fois brillant et ténébreux l'avaient interpellée. Peut-être était-ce pour cette raison que le « vrai » sentiment amoureux était si rare ? Avait-on peur de la distance à parcourir pour atteindre le fond du cœur de l'autre, et du *long temps* qu'il fallait obligatoirement y investir ? Or, c'est bien ce qu'elle recherchait désormais dans une relation : un (autre) homme capable de venir sonder son cœur et d'y vouloir *durablement* rester. *Autre* parce qu'il y en avait déjà eu un, *un premier*.

Madeleine Bonneau croyait qu'on pouvait vivre plus d'un grand amour dans toute une vie. Ou peut-être avait-elle juste *besoin* d'y croire ? Le résultat était le même. Elle n'était pas dupe. Vouloir *être aimée inconditionnellement et pour longtemps* était beaucoup demander. *Pour longtemps* signifiait si peu dans un monde blasé, super pressé, accro de l'instantané, du jetable, du *tout* et *tout de suite*. Un monde conjugué au *super conditionnel* où la quasi-perfection et l'hyper performance étaient les premières et souvent les seules références. En dépit de cela, elle ne voyait pas pourquoi elle aurait dû exiger moins que ce qu'elle-même avait déjà donné et reçu. À viser plus haut, on a des chances d'atteindre une hauteur décente, c'est ce qu'elle prêchait pour tout.

Le premier homme, donc, qu'elle avait aimé d'un amour fou, puis épousé alors qu'elle sortait à peine de l'adolescence, l'avait en retour adorée. Sensible, attentionné, généreux, brillant, d'une nature optimiste et avec un merveilleux sens de l'humour, David Gauthier n'avait jamais cessé de chercher à découvrir les moindres recoins de son cœur, et cela, même pendant qu'il parcourait le globe. Il était homme à aller plus loin que le bout du monde, au sens propre comme au figuré.

D'un commun accord, ils avaient décidé de profiter de cette jeune et trépidante période de leur vie pour voyager le plus possible ensemble, là où son travail le menait, reportant ainsi la naissance d'un premier enfant à *quelque part dans la trentaine*. Ils auraient dû être plus précis, ou encore ne pas remettre à plus tard ce qu'ils auraient pu faire alors : c'est longtemps ce qu'elle s'était reproché. Mais plus aujourd'hui. Elle s'était aussi questionnée à savoir si tout ce mal qu'elle avait côtoyé pendant tant d'années n'avait pas fini par déteindre sur eux, et sur lui en particulier. Un jour, après quelques années de deuil, elle avait cessé de ressasser regrets, remords, interrogations. Ces interminables ruminations ne le ramèneraient jamais vivant. Sans compter qu'elles l'éloignaient, elle, de la vie, ce qu'il ne lui aurait jamais souhaité. Bien qu'ils ne l'aient ni l'un ni l'autre recherché, cette toute première relation amoureuse avait tout de même avorté. Après seize ans passés ensemble.

David était mort à 38 ans dans des circonstances dramatiques. Un scénario à la hauteur de son métier à elle, mais sûrement pas du sien. Vers la fin d'une nuit d'automne venteuse et pluvieuse, la sonnette de la porte d'entrée l'avait brutalement tirée d'un sommeil profond. Il devait être dans les 6 h du matin. Deux policiers, des collègues qui plus est, se tenaient sur le pas de sa porte. À leur air lugubre et dramatiquement professionnel, elle avait tout de suite compris qu'il s'agissait de quelque chose de très grave. Et cela concernait David, son mari. Informaticien chevronné et très couru, une sommité dans son domaine, il se déplaçait souvent et partout dans le monde pour son travail. Elle l'avait plusieurs fois accompagné : Paris, Londres, Bruxelles, Washington, Vancouver, Manille, Hong Kong, Tokyo... Mais pas cette fois-là.

« *Il s'est trouvé au mauvais endroit, au mauvais moment, Bonneau.* » Voilà ce que les policiers lui avaient dit pour la réconforter, comme si cela pouvait faire une différence dans l'échelle de la douleur ou dans l'inéluctable de la destinée. Peut-être pour certains est-ce un réconfort d'entendre de telles paroles, mais pas pour Madeleine Bonneau. Pour elle, aucun mot, aucune explication, aucun geste ne pouvaient éviter ou freiner la roue inexorable du destin. David devait se trouver là et pas ailleurs qu'à Philadelphie, en Pennsylvanie : un déplacement planifié depuis plusieurs semaines. Ce jour précis, c'était, tout au contraire, le « bon endroit pour lui », puisqu'il y gagnait très lucrativement sa vie. Par surcroît , c'était l'un de ses « bons moments », étant donné qu'il venait tout juste de sortir d'un restaurant italien réputé situé sur Chestnut Street, dans le centre-ville. C'était son dada, la cuisine et les vins italiens, un héritage de sa grand-mère maternelle, de sorte que sa première préoccupation, lorsqu'il arrivait quelque part, était de répertorier les meilleurs endroits où retrouver les deux objets de sa passion : bonne chère et bons crus. Si Madeleine ne l'accompagnait pas, il lui téléphonait dès son repas achevé, pour lui faire part de ses impressions gustatives, lui décrivant en détail les plats et le vin qu'il avait dégustés. Pour lui demander, aussi, comment avait été sa journée ; pour lui rappeler, surtout, combien il l'aimait, combien elle était belle, combien elle lui manquait, combien il avait hâte de dormir lové tout contre sa peau si douce. Il lui répétait ce discours amoureux, chaque fois, sans se lasser, *au cas où*...

« Au cas où quoi, David ? Au cas où je l'oublierais ? disait-elle à la blague.

— Non, bien sûr que non. Juste... *au cas où*. »

Pour le taquiner, mais aussi pour souligner l'importance que ses mots précieux avaient à ses yeux, elle avait choisi d'appeler CAZOU le magnifique golden retriever qu'il lui avait offert en cadeau pour ses 30 ans.

Ce soir de novembre, il aurait pu ajouter le sous-entendu : au cas où il m'arriverait quelque chose de définitif et que je n'aie plus jamais la chance de te le dire. Dieu merci, personne ne sait à l'avance quand il faut ajouter ces mots. Que nous soyons superstitieux ou non, l'idée qu'ils enclenchent le mauvais sort s'insinuerait en nous et, de toute façon, ils auraient une telle connotation macabre qu'on ne pourrait se résoudre à les prononcer, même à la légère ! Rien n'empêche toutefois qu'un jour ou l'autre, ils puissent devenir *entendus*.

Ô combien il avait eu raison, à chaque occasion que la vie lui offrait, de lui répéter encore et encore qu'il l'aimait ! Puisque ces mots d'amour s'étaient imprimés dans chaque cellule de son corps, dans chaque recoin de son âme devenant ainsi non seulement impossibles à oublier, mais essentiels pour que son cœur continue de battre la mesure de son temps à elle.

David n'avait pas dérogé à son rituel, ce fameux soir. Sans compter qu'ils avaient discuté plus longtemps qu'à l'habitude au téléphone. Peut-être était-ce pour cette raison qu'il (ou que son âme ?) n'avait pas vu la nécessité de venir lui dire au revoir en rêve, comme il arrive parfois entre des êtres très liés ? Elle s'était endormie d'un sommeil bienheureux, sans aucun pressentiment, Cazou au pied du lit.

David Gauthier, donc, plein de tout ce qu'il appréciait et aimait en ce monde, avait été la victime collatérale d'un règlement de compte entre bandes criminelles rivales. *Une balle perdue...* À moins de se perdre carrément dans la nature, ou dans un mur de trente centimètres d'épaisseur, peut-on affirmer qu'une balle est perdue quand elle vient se loger précisément dans la tête d'une personne, comme dans celle de David, la faisant éclater tel un vulgaire marron sous la chaleur du feu !? Chestnut Street : la rue des châtaignes. C'est dans cette rue au nom macabrement prémonitoire qu'il avait perdu la vie.

Le fait de côtoyer fréquemment la mort sous toutes ses formes avait enseigné ceci à Bonneau : toute mort, qu'elle fût longuement préméditée et perpétrée par soi-même ou par un autre, ou simplement accidentelle ou naturelle, était rarement laissée au hasard. Si naître était le premier acte du

16

théâtre de la vie, mourir était le dernier, et dans les deux cas toutes les scènes s'emboîtaient comme des *Legos*. Inéluctablement et magistralement. Un temps déterminé, allant de très bref à très long, était alloué à chacun pour parvenir au bout de « son » voyage. Un peu comme à l'image d'un roman dans lequel chaque mot, chaque phrase, chaque paragraphe, chaque chapitre – et très peu d'entre eux sont laissés au hasard – mènent irrémédiablement à une fin, qu'il s'agisse d'une courte nouvelle ou d'un livre de mille pages. Chaque être humain est le protagoniste de son histoire personnelle. Pour Bonneau, donc, la Mort attendait bel et bien David Gauthier, à cette minute et à cet endroit précis du globe. Juste après qu'il lui eut confié ses toutes dernières paroles de contentement juvénile et d'amour inconditionnel.

Cette fois-là, il avait ajouté :

« Pendant le vol, j'ai réfléchi à ce dont nous avons parlé, madame la policière Bonneau. Tu as raison, Mado. C'est le temps, nous sommes rendus là, toi et moi. Dès que je rentre, on se met au *travail sérieux* et on le fait, ce petit... ou cette petite. Je me demande à qui il ou elle ressemblera. Un mélange des deux, genre tes beaux yeux et mon sourire, ce serait pas mal, hein?... Ben, quoi? T'as toujours dit que j'avais un sourire craquant! Hum... Je t'aime, *amore mio*. *Ciao!* »

Nous sommes rendus là... Comme quoi il semble préférable de se croire *arrivés quelque part* seulement une fois rendus. À 35 ans, elle n'était pas devenue une femme enceinte. Elle était devenue veuve. Veuve et sans famille. Avec juste Cazou pour lui tenir compagnie. Elle ne saurait jamais à qui leur enfant aurait ressemblé et quel prénom David aurait privilégié...

Le bouleversement avait été immense, et la peine aussi. Immense, non. Incommensurable serait plus juste. Longtemps, très longtemps, elle était restée sous le choc d'une « fin » si totalement contraire à toute attente. Et surtout, à toute promesse.

Madeleine travaillait alors comme policière depuis huit ans. Et c'est à ce moment qu'elle effectua un changement de cap dans sa carrière et voulut devenir enquêteure. Elle passa d'abord un examen de préqualification qu'elle réussit haut la main. Puis, pendant des semaines, elle suivit religieusement le cours de formation qui se donnait à l'extérieur de la région, obtenant de bons résultats aux différents tests pratiques et écrits. Au fil des premières années, elle fut *coachée*, puis jumelée à un enquêteur chevronné. Elle faisait des enquêtes de poste générales, vols domiciliaires ou d'identité, fraudes, agressions sexuelles, voies de fait... Ses nombreuses années d'expérience, sa loyauté, sa ténacité et son flair exceptionnel lui permirent avec le temps de s'intégrer à la section des crimes majeurs de l'escouade régionale. Les tentatives de meurtre, les décès, les suicides et les disparitions, s'ils devenaient suspects pour quelque motif que ce soit, requéraient de travailler de concert avec l'escouade régionale, et parfois avec une équipe en renfort venue de Québec. Madeleine demeurait largement au cœur de l'action. Elle était alors là où elle voulait être : sur la ligne de front. Depuis, la passion pour son métier s'était transformée en quelque chose qui se rapprochait davantage de la rage et de l'obstination. Elle mettait un acharnement féroce à traquer les criminels. À chaque enquête résolue, elle avait l'étrange sentiment d'avoir affaibli la race de ceux qui avaient tué son mari, et qu'on n'avait jamais, hélas, identifiés. Les meurtriers, les assassins étaient devenus un exutoire pour sa peine, sa colère, son désir de vengeance et, sans aucun doute, une panacée pour sa guérison.

Après David, et jusqu'à l'an dernier, il n'y avait eu que des amants. Des relations durant de quelques mois à deux ans, pour la plus longue. Elle avait sérieusement envisagé, au début de la quarantaine, de se faire faire un petit par l'un deux. Et de l'élever seule. Mais elle fut incapable de passer aux actes. On n'a pas un enfant pour combler sa solitude, mais pour fonder une famille avec l'homme qu'on aime, c'est ce qu'elle avait compris. Avec tous les partenaires qui avaient suivi David, elle avait fait le premier pas. Eux n'étaient pas morts, mais c'était tout comme. À l'exception du fait que c'était elle qui avait délibérément choisi de mettre fin à ces relations sans lendemain, le résultat était le même : ils étaient disparus de sa vie et elle se retrouvait seule. Cazou aussi avait quitté ce monde, et elle ne l'avait pas remplacé.

Par conséquent, le seul choix logique qui s'imposait à elle désormais était celui de laisser ce choix à l'autre. Étrange paradoxe...

Quand elle vit l'inconnu se lever, plier bagage, partir, puis s'arrêter juste à l'entrée du stationnement, se retourner en regardant dans sa direction, immobile, semblant tout à fait indécis, incertain de ce qu'il devait faire, une pensée farfelue lui traversa l'esprit : et s'il venait, tout récemment, de prendre la même décision qu'elle ? Ironie du sort ? Si oui, tant pis ou tant mieux pour elle. Ou pour lui. Ou pour eux.

Elle se sentit fière d'avoir résisté à la tentation, car elle ne pouvait plus se permettre d'échecs amoureux.

Sa dernière relation – avec un homme marié : c'était la première du genre – avait été un *beau désastre* (le fait d'ajouter le mot *beau* rendait le désastre moins déplorable à ses yeux). Un échec que la majorité de ceux et celles qui l'aimaient ou l'appréciaient avait prévu bien avant elle. Comment aurait-il pu en être autrement avec un tel fiasco de mensonges, une telle débâcle de promesses non tenues, un chaos de paroles en l'air et d'attente inutile, et surtout un massacre d'espoir et de sentiments violés! Parce que, cette fois, oui, elle était retombée amoureuse, mais avec un homme engagé ailleurs. De manière aussi puissante qu'avec David. Différente, certes, mais égale en intensité. L'euphorie l'avait de nouveau habitée, ressemblant en tous points à celle qu'elle avait connue avec David, à 16 ans. Or, si le ciel était toujours septième, l'âge, lui, était passé aux décennies supérieures, et désormais alourdi d'un pesant bagage émotionnel. Les apparences de l'amour avaient donc été trompeuses, allant jusqu'à l'aveugler et à la rendre dépendante. Avec les années et à son insu, la solitude, la peur de vieillir seule, et probablement aussi la hantise inconsciente de perdre une seconde fois l'être aimé, avaient creusé des brèches dans son caractère. C'est seulement une fois le désastre passé que Madeleine Bonneau avait pris la réelle mesure de son piètre état sentimental. Telle l'eau qui s'infiltre insidieusement par une fissure en faisant moisir ce qui est sain, la mort violente et impunie de David avait considérablement altéré son indépendance et sa clairvoyance, sa confiance et sa force vitale. Et ce beau prédateur n'avait eu qu'à s'infiltrer par ces brèches pour la manipuler, à son insu. S'il y avait quelque chose de bon à retirer de cette aventure, c'est qu'il lui avait fait prendre le vrai pouls de son cœur et de son état émotionnel. Conclusion: elle avait du travail à faire sur elle-même pour se remettre sur les rails afin d'éviter à l'avenir ce genre de rencontre.

Une fois plus ou moins remise de la rupture (elle se savait loin d'être guérie), ce qu'elle regrettait le plus avait été non pas de l'avoir aimé, de lui avoir fait confiance ou d'avoir cru en lui, mais de ne pas avoir tenu sa propre promesse : *les hommes mariés, pas touche !* Promesse qu'elle avait scrupuleusement respectée jusqu'à ce qu'elle le rencontre, lui, sans pourtant pouvoir s'expliquer ce revirement. Les intuitions, les ressentis ou les pressentiments nous concernant, quoique souvent inexplicables, s'avèrent souvent fiables et conformes à notre essence fondamentale, à notre histoire.

Cette fois, elle était bien décidée à respecter sa propre parole qui consistait à *ne plus faire ce fichu premier pas.*

Primo, elle avait moins de temps (surtout à perdre) devant elle. *Deusio*, le prix, chaque fois, était trop cher payé : fin tragique, cœur brisé, deuil, manipulation, âme blessée, séparation, regrets, désillusions, échec, sans parler des répercussions tant physiologiques que mentales laissées par de trop nombreuses ruptures consécutives. Ne fallait-il pas apprendre à changer un *pattern* qui ne fonctionnait pas ou qui provoquait toujours des résultats indésirables ou carrément nuls ? Elle appliquait ce principe dans son métier, alors pourquoi ne pas l'appliquer aussi à sa vie intime ?

Quoi qu'il en soit, en attendant de plus favorables augures amoureux, elle devait consacrer son temps et toute son énergie à sa dernière enquête : l'affaire Fleury...

Un suicide déroutant, qui laissait perplexe. Il se passait là quelque chose de trouble qui requérait toute son attention, et aussi son intuition. L'enquête venait de révéler ce portrait de Michel Fleury : marié depuis plus de trente ans avec Claire Tanguay, deux enfants, deux petits-enfants. Forme physique exceptionnelle. Passion connue : l'ébénisterie. Passion cachée : l'adultère. Entreprise florissante, réussite financière certaine, patrimoine colossal : la veuve héritait donc d'une imposante fortune. L'avis général (proches, collègues, amis) allait dans le même sens que celui de Bonneau : Fleury, ce coureur de jupons notoire, séducteur émérite et don Juan irrésistible, en pleine possession de *tous ses moyens*, sans aucun problème pécuniaire ou personnel, ne correspondait pas au profil type du *suicidé*.

C'était plutôt cocasse, mais les leçons difficilement tirées de sa dernière expérience amoureuse lui seraient peut-être utiles en fin de compte. Qui l'eût cru ? *Rien ne se perd, rien ne se crée, tout se transforme.* La justesse de cette maxime ne cesserait jamais de l'émerveiller.

Hélas, se prit-elle à songer, quand il est question de violence, de noirceur, de malfaisance, d'homicide, de bassesse, de perfidie humaine, aucune latitude n'est épargnée : l'ailleurs et l'ici ne forment qu'un seul et même triste parallèle.

Marie Bouchard

Marie Bouchard était une femme qui *sortait de l'ordinaire*.

Cela aurait pu être une raison suffisante pour favoriser, un jour ou l'autre, une rencontre fortuite avec Madeleine Bonneau. Or, en ce jour de septembre venteux et pluvieux, si froid par rapport aux températures de l'été caniculaire, si Marie venait de croiser le chemin de cette enquêteure de police, c'est qu'elle se retrouvait, bien malgré elle, mêlée à une affaire judiciaire et bien loin des affaires de cœur ou d'âme pour lesquelles on la consultait d'habitude.

À la manière du peintre qui esquisse quelques traits pour évoquer l'idée d'un lieu ou d'un objet, ces quelques mots, *elle sortait de l'ordinaire,* cernaient Marie d'emblée. Tant au sens figuré que littéral. Marie Bouchard *sortait de l'ordinaire* comme on sort de chez soi pour faire une promenade, voir un film au cinéma ou manger au restaurant. Elle, elle sortait pour se rendre dans l'extraordinaire. Lequel pouvait se trouver à deux pas comme très loin, de l'ordinaire, s'entend! À deux pas – en fait quiconque peut y aller tellement c'est juste *à côté* –, elle avait la chance d'admirer un coucher de soleil extraordinaire, de croiser une personne au regard, au sourire ou au rire extraordinaire; elle découvrait par hasard un chanteur à la voix extraordinaire ou entendait un air extraordinaire; l'un de ses hibiscus ou géraniums donnait des fleurs extraordinaires; elle avait vécu une émotion extraordinaire, connu des sensations extraordinaires; on lui avait fait un cadeau extraordinaire, et ainsi de suite.

Très loin, il y avait l'autre extraordinaire, celui des confins, souvent inaccessibles ou trop éloignés pour la plupart des gens, mais où *elle* pouvait – si facilement et si rapidement! – se rendre: l'extraordinaire de l'ésotérisme, de la magie, de l'enchantement, de l'inexplicable, de l'invisible, de l'intemporalité. Lorsqu'on la comparait à un devin ou à un mage des temps anciens, faisant allusion à ses aptitudes, qualifiées d'*extraordinaires* ou de *surnaturelles* (lecture du tarot, boule de cristal, pendule, prémonitions, numérologie, décryptage des symboles ou des signes de jour comme de nuit) et qu'on la questionnait sur le comment, elle répondait avec un brin d'humour:

« Ça doit sûrement provenir d'une ancienne vie. Peutêtre ai-je déjà été une sorcière ou une chamane, va savoir. Une oniromancienne en Égypte? C'est sûr que j'ai beaucoup lu sur tous ces sujets, en autodidacte. Mais c'est pendant certains cours ou formations que j'ai pu prendre conscience du fait que tout ça m'était familier! Il me semblait retrouver enfin quelque chose qui m'était cher et que j'avais perdu, sans me rappeler où, ni quand, ni comment. On aurait dit que toutes ces images, ces symboles, ces connaissances qu'on qualifie d'ésotériques faisaient partie de mes cellules. Pour moi, ce langage était tout, sauf ésotérique! J'ai vraiment l'impression que je ne fais que sortir de l'ordinaire pour aller faire un tour dans l'extraordinaire. »

Marie avait si bonne réputation que le bouche-à-oreille semblait, dans son cas, faire fi des frontières et avoir emprunté les ailes d'un infatigable pigeon voyageur. Solitude, chômage, cancer, problèmes personnels, relationnels, familiaux ou d'ordre pécuniaire, angoisses et stress en tout genre attaquaient tout un chacun sans discernement, de l'adolescent à l'aîné, créant d'immenses ravages, différents certes de ceux la grippe espagnole ou du choléra d'antan, mais tout aussi dévastateurs. On venait donc la voir de partout dans la Belle Province. Modernité obligeant, elle faisait quelques consultations via Internet pour ceux qui étaient dans l'impossibilité de se déplacer ou qui vivaient loin, voire hors du pays.

Faire un tour : c'était l'une de ses expressions favorites !

Marie préférait dire *allons faire un tour* plutôt que *allons prendre une marche* ou *allons prendre l'air*. S'il y avait un problème à régler ou un sujet à débattre, elle proposait : *et si nous faisions lentement le tour de la question ?* Tout mot ou toute formulation qui inspirait l'idée du cercle lui plaisait. Car le cercle, son symbole fétiche, représentait pour elle, de par son absence d'angles, la perfection, la beauté, l'accomplissement, l'harmonie. Et, à ce qu'elle prétendait, il la *protégeait* aussi ! Elle répétait que voyager dans le Cercle de l'infiniment grand ou dans celui de l'infiniment beau était gratuit. Et qu'on était bête de s'en priver pour de simples considérations rationnelles ou à cause de jugements de valeur poussiéreux.

Ces facultés qui étaient siennes, et qu'elle qualifiait de purement intuitives, étaient d'après elle à la portée de tout un chacun – mais souvent juste endormies ou délaissées chez la plupart. « La société technologique et ultra sophistiquée et le réalisme économique ont fait de nous des hommes d'un seul côté. » Marie avait de ces expressions ! Elle entendait par là que l'humain utilisait désormais presque exclusivement son cerveau gauche, lui faisant même oublier qu'il en avait un du côté droit : celui de l'intuition, du ressenti, des révélations, de la création, de l'imaginaire, de la vision globale. C'est du moins ce qu'elle affirmait.

De toute évidence, cette Madeleine Bonneau, l'enquêteure, refusait de croire que ce soit à la portée de tous (et encore moins de la sienne) que *d'aller faire un tour* dans l'extraordinaire. Mais elle changerait peut-être d'avis avec le temps. Car il était certain qu'elles se reverraient.

« Vous savez, lui avait fait remarquer Marie alors qu'elles se quittaient après un entretien de plusieurs heures, nos métiers ne sont pas si différents dans le fond, nous cherchons toutes deux à découvrir la vérité. Et nous sommes parfaitement disposées à prendre tous les moyens disponibles pour y parvenir, non ? Vous œuvrez dans le monde tangible, visible, réel, connu et moi dans l'autre. Il y a toujours deux expressions pour chaque entité, chaque chose, chaque situation, chaque être, tout ce qui constitue l'univers : le yin et le yang. Il s'agit de complémentarités, non de dualités. Disons, pour résumer, que je suis du yin, et vous du yang. M. B. : ces initiales dans les agendas de vos deux... hum... victimes comme vous dites, et qui vous ont conduite jusqu'à moi, s'appliquent aussi à votre nom, y aviez-vous songé ? La vie ne laisse pratiquement rien au hasard, vous l'avez dit vous-même, et c'est tellement vrai puisqu'elle n'est qu'intention. »

À voir son expression ahurie, Marie comprit que l'enquêteure n'avait pas encore réalisé que les initiales dans les agendas correspondaient également aux siennes.

Pour se calmer, tant elle se sentait surexcitée, Marie se prépara une tisane à la camomille.

Elle devait non seulement retrouver son énergie vitale (elle venait de parler avec une émotion intense pendant plusieurs heures), mais aussi reprendre la maîtrise de ses nerfs, celle des battements de son cœur. Et surtout mettre ses idées en ordre. Par où commencer ? Le fouillis était de taille, jamais « la police » n'avait ainsi fait irruption en sa demeure, en sa vie et en sa tête ! Siroter lentement le liquide chaud et fleurant bon la camomille. Le calme, petit à petit, à grands coups de respirations contrôlées, de soupirs satisfaits après chaque gorgée de tisane, balaya proprement trouble, surexcitation, inquiétude et agitation.

La réalité était la suivante : deux de ses consultants se retrouvaient au cœur de deux enquêtes policières. Lesquelles, elle en était certaine, tout comme Bonneau, ne faisaient plus qu'une seule désormais.

Le premier, un homme, âgé de 57 ans, s'était suicidé en juillet, mais pour des raisons impossibles à divulguer, sa mort demeurait plus ou moins suspecte aux yeux de la police, et de l'enquêteure Bonneau en particulier. Dans la même période, une femme dans la fin quarantaine, apparemment sans problèmes majeurs, avait complètement disparu de la carte. Soi-disant partie quelques jours se reposer en dehors de la région pour faire le point, elle n'était jamais réapparue depuis. Elle s'était tout bonnement évaporée ! Ses proches étaient au courant d'une liaison qu'elle entretenait avec un homme marié, sans plus. Les semaines passaient, sans aucune nouvelle. Ils étaient vraiment inquiets, craignant le pire.

Avait-elle été victime d'un enlèvement, d'un viol, voire d'un assassinat ? Tout était possible.

Après des vérifications de routine et de recoupements faits par le bureau des enquêtes d'Alma, aidé du BRE de

Chicoutimi – soit le Bureau régional des enquêtes –, il s'avérait qu'elle, Marie Bouchard, avait rencontré ces deux individus à un mois d'intervalle, et juste un peu avant les faits les concernant.

À première vue, l'homme décédé et la femme disparue ne se connaissaient pas. Mais le fait qu'ils aient tous deux pris rendez-vous avec une personne aux initiales M. B., l'homme en mai et la femme en juin dernier, et qu'il leur soit arrivé malheur à tous les deux en juillet de la même année, viendrait peut-être contredire cette hypothèse. Ce détail « commun » devait absolument être approfondi, tiré au clair. La première tâche de l'équipe dirigée par Bonneau avait consisté à découvrir qui se cachait derrière ces rendez-vous communs.

Marie avait donc appris de la bouche de Bonneau que son équipe avait mis plusieurs jours pour trouver à qui appartenaient ces initiales notées dans les agendas des deux « victimes ». Les lettres M. B. apparaissaient, mais aucun numéro de téléphone, aucune adresse ne figuraient. Sauf un détail : dans son agenda, la dame disparue avait fait de petits dessins à côté des lettres M. B., une lune, des étoiles, des oiseaux aussi, en forme de demi-huit à l'horizontale.

« Nous nous sommes dit que ça devait être un rendez-vous très personnel, avait expliqué Bonneau. De ceux qu'on désire éviter d'ébruiter. Quand on ne note que les initiales, c'est qu'on souhaite, consciemment ou non, garder une certaine intimité ou réserve par rapport à cette personne. On n'agit pas ainsi pour un médecin, un dentiste ou un coiffeur, par exemple. Surtout si une secrétaire avait accès à l'agenda, comme c'était le cas pour celui de monsieur dans lequel ledit rendez-vous avait été inscrit. Nous avons penché pour l'hypothèse d'un rendez-vous d'ordre très privé. Les signes dessinés par la dame étaient aériens, éthérés, tous en rapport avec le ciel ou l'air, donc plus proches du domaine de l'esprit, ou de l'âme, que de celui du corps. Cette femme cherchait-elle ou avait-elle besoin de réponses, de conseils ou carrément d'espoir ? La question nous paraissait digne d'intérêt compte tenu de sa brusque disparition par la suite et des témoignages de ses proches quant à une liaison amoureuse tumultueuse. Les premières personnes à être vérifiées ont été les psys de la région, vous vous en doutez. Sans résultats. C'est lors d'un *briefing* de routine que quelqu'un... oui, c'était la secrétaire qui rédigeait le procès-verbal, a timidement suggéré qu'il pourrait s'agir d'un astrologue ou encore d'une diseuse de bonne aventure, et cela, à cause des astres dessinés et du fait qu'on ne crie pas sur les toits qu'on va consulter un voyant ou un médium. Bingo, notre cyber-agent vous a trouvée en deux temps, trois mouvements ! L'astrologie n'est pas votre truc, mais bon, vous êtes tout de même dans le domaine de la... du... Je... je ne dirais pas de l'anormal... mais... du... du paranormal, disons ! »

Bonneau s'était éclairci la voix, semblant mal à l'aise de sa bévue. Quant à Marie, qui l'écoutait religieusement, elle se régalait de la voir s'empêtrer de manière aussi ingénue.

« Il paraît que votre site est très bien conçu, soit dit en passant, avait-elle repris d'un ton aimable, comme pour se faire pardonner. C'est du moins l'avis que mon collègue a émis, moi, je n'y connais rien. Désolée... Bien, cela dit, passons aux choses sérieuses. Je ne crois pas au hasard, vous savez. C'est souvent une explication trop simpliste, quasi réductrice des événements, surtout quand ils s'avèrent d'une telle importance. Il y a mort d'homme et disparition de personne. Je suis donc ici pour confirmer si c'est bien avec vous que ces deux individus ont pris rendez-vous. Et si, bien sûr, vous les avez reçus en consultation. Si c'est le cas, il existe peut-être un lien entre eux. Pas nécessairement un lien direct, mais un filon, une ligne parallèle. L'homme, celui qui serait venu vous consulter à la fin mai, se nommait Michel Fleury. La femme, disparue, s'appelle...

— Annie, c'est Annie Després », avait complété Marie avec une assurance désarmante.

Ce nom était sorti d'un coup, comme propulsé par la force d'une inébranlable certitude intérieure, de celle qui ne s'appuie sur aucun fait concret. Bonneau, tout de suite aux aguets, avait confirmé d'un signe de tête affirmatif. Cette femme qui paraissait tout sauf « normale » commençait soudain à vraiment l'intéresser.

Marie l'avait alors priée de la suivre dans son bureau...

Michel Fleury

Malgré une nervosité flagrante, Marie réussit à extraire d'un épais dossier situé dans un tiroir-classeur de son bureau deux simples feuilles, d'abord celle de Michel Fleury, dans le milieu de la pile et, un peu plus haut, celle d'Annie Després. Elle les posa sur la table ronde antique où l'enquêteure avait pris place. Bonneau se pencha pour les examiner de près. Elle fut incapable de cacher sa surprise et son désappointement devant ce qui semblait être un fouillis de nombres et d'annotations sans queue ni tête, mais confirma néanmoins que les dates de naissance concordaient avec celles des deux victimes. Marie se rendit bien compte que quelques explications s'avéraient nécessaires.

Avant de les fournir, elle alluma un lampion, même s'il faisait grand jour dans la petite pièce intime au décor zen. Marie prit place en face de Bonneau, en mentionnant que ce geste ouvrait la voie à une communication harmonieuse, faite à la lumière d'esprits éclairés. La policière, quoique surprise, ne se formalisa pas de ce rituel. À cette heure du jour, c'était tout de même étonnant, car ce n'est qu'une fois la nuit venue, et non en plein jour, qu'elle-même allumait lampions et bougies, et surtout à l'heure du bain. À chacun ses habitudes, après tout! Bonneau gardait les yeux rivés sur la magnifique boule de cristal sur laquelle se reflétait la petite flamme vacillante, y créant de multiples effets mouvants et éthérés. Elle espérait en son for intérieur ne pas avoir affaire à un charlatan de bas étage. Elle complimenta néanmoins Marie sur la décoration simple et de bon goût de la pièce qui inspirait calme, paix et confiance. Elle ne put s'empêcher de s'extasier aussi devant la beauté de cette table ronde sur piédestal, précisant qu'elle appréciait également les antiquités. Pas toutes, mais certaines.

« C'est étrange comme certains meubles ou objets antiques se marient parfois très bien avec un style moderne ou très épuré, remarqua-t-elle au passage.

— Oui, surprenant, en effet, d'approuver Marie. Et merci pour le compliment, c'est gentil. Je l'adore, cette table, et je ne m'en séparerai jamais. De mon vivant du moins. Il y a plusieurs années que je la possède, vous savez. Plus de trente ans. Ah, Dieu sait si je l'ai cherchée, celle-là ! Vous ne me croirez sûrement pas, mais je l'ai choisie et surtout achetée en me servant d'un pendule !... Oui, je vous assure, c'est vrai ! Il fallait voir la tête de l'antiquaire, je m'en souviendrai toujours ! Comme vous en ce moment, mais en pire. Son regard ébahi exprimait clairement : *elle est timbrée, celle-là, j'aurai tout vu dans ma vie !*

— Je... je ne pense pas que vous soyez "timbrée", se piqua la policière qui n'était pas allée jusque-là dans son jugement.

— Ah, ne me dites pas que cela ne vous a pas traversé l'esprit ! Pas une seconde ? Peut-être pas timbrée, d'accord, mais bizarre, fantaisiste, un peu maboule ou... charlatan ?

— ...!?

— On jurerait que je vous ai surprise en flagrant délit de pensées, non ? Je vous taquine, n'y prenez pas ombrage, ajouta Marie en lui décochant un clin d'œil complice. C'est la réaction normale des personnes rationnelles face à... l'irrationnel, disons. J'ai l'habitude. Et je peux très bien comprendre. Cela ne me touche ni ne me froisse d'aucune manière.

« Revenons à mon histoire... La table, donc, se trouvait haut perchée, dans un fatras de tables et de chaises plus archaïques qu'antiques, si vous voyez le genre, au deuxième étage d'une immense grange remplie à ras bord, dans les Cantons-de-l'Est. Si bien que le propriétaire grassouillet avait dû trimer dur pour l'atteindre, manquant de se casser la margoulette chaque seconde. La sueur qui perlait sur son front et dessinait de grands cercles sous ses aisselles et dans son dos en était la preuve. Une fois la table bien posée devant moi par un marchand à bout de souffle, de ressources et de patience, je me suis extasiée, ravie, exubérante, décrétant la table absolument magnifique : elle correspondait en tous points à ce que je cherchais. Mais...

« Quand il m'a vue sortir un pendule, puis le balancer au-dessus de la table et tout autour avant de prendre la décision de l'acheter ou non, il m'a crue cinglée. C'était écrit en grosses lettres modernes dans ses yeux d'antiquaire ! Je devais lui rappeler le professeur Tournesol, en version féminine. Pas besoin d'ajouter qu'il était vraiment soulagé de me voir partir, clopin-clopant, avec ma table dans les bras. N'empêche, je suis certaine que ça a fonctionné.

— Pardon ? Qu'est-ce qui a fonctionné ? » s'enquit Bonneau, curieuse.

De s'entendre s'intéresser à la suite d'une telle histoire l'étonnait. Cette Marie Bouchard était si crédible, si spontanée et si pleine d'humour. Elle avait l'art de raconter, de vous tenir en haleine. Sa voix très vivante avait quelque chose d'envoûtant, de stimulant, de réconfortant, de rassurant ;

Marie Bouchard avait surtout, songea Bonneau, l'art de la vérité. Et celui de la partager. Peu importait, après tout, ce qu'elle déchiffrait dans les dates de naissance ou ce qu'elle entrevoyait dans une boule de cristal ou encore dans les arcanes du tarot, elle devait sûrement le communiquer d'une façon encourageante et chaleureuse à ses consultants. Bonneau fut soudain convaincue que cette petite femme ne pouvait que leur faire du bien même si, pour le moment, elle demeurait carrément un mystère pour l'enquêteure de police.

« Le fait de découvrir l'énergie... euh... disons... les vibrations de la table avec le pendule, voyons, quoi d'autre ? Le pendule *pendulait*, *ma chère*, et c'est quasiment un euphémisme ! Il a failli me tomber des mains tellement l'énergie positive était puissante ! »

Le rire cristallin de Marie fut si communicatif que Madeleine se joignit à elle. Cette extravagance juvénile, tant dans le langage, l'apparence, la gestuelle et cet humour enjoué étaient rafraîchissants et surtout irrésistibles. Cette femme ne se prenait pas pour une autre. Elle était spontanée, naturelle, à l'état pur, à l'image du cristal de cette jolie et parfaite boule ronde. Il faut dire aussi que le *ma chère* très spécifique à la région jeannoise avait résonné aux oreilles de Mado comme un bémol complice et joyeux.

« C'est rarement arrivé de cette façon par la suite, précisa Marie en retrouvant son sérieux. Une fois, dans des circonstances plus tristes et cela concernait un ami proche... Bref. Cet épisode de la table a eu lieu au moment où je me suis décidée à faire des consultations. Ce qui n'a pas été sans peine : qui étais-je, moi, pour tenter de tracer ou d'éclairer la voie à d'autres ? Bien avant la numérologie, le pendule, le tarot et le reste, je m'intéressais beaucoup au monde des symboles, ceux des rêves, des signes de jour, de la vie en général. Puis, le tarot m'a subjuguée un temps, le pendule ensuite, et la boule de cristal... Finalement, j'ai vraiment trouvé mon bonheur avec les nombres qui sont, soit dit en passant, des symboles numéraux par définition. Les nombres sont devenus mon terrain de prédilection et de... prédictions, il va sans dire.

« Quand, au fil de mes lectures, j'ai appris que, de par sa forme, il n'y a pas de place privilégiée autour d'une table ronde, que tout le monde y est égal, j'en ai voulu une pour ma clientèle et pour moi-même. J'aimais cette idée d'égalité qui impliquait que la personne qui viendrait me voir et s'assoirait en face de moi ne se sentirait ni inférieure ni supérieure. Le cercle est un symbole de fraternité, de beauté, de perfection et d'impeccabilité à atteindre, vous savez. Un peu selon le principe du roi Arthur et des Chevaliers de la Table ronde. Le cercle représente le monde, tant le microcosme que le macrocosme. Si le carré représente le corps, et que le triangle vaut pour l'âme, le cercle, lui, est associé à l'esprit. C'est seulement quand le consultant sent son "esprit" inquiet ou troublé qu'il vient me voir, d'où la nécessité du cercle, d'une table ronde et aussi de la lumière naturelle du feu, générée par le lampion. N'ayez donc crainte, il n'y a dans tout cela aucune forme de... sorcellerie ! Juste une approche symbolique du monde, sans plus. Oh là, madame Bonneau, mieux vaut ne pas trop me *lâcher lousse*, comme on dit, sinon, nous ne sommes pas sorties de l'auberge ! »

Elles éclatèrent ensemble d'un rire franc, à la fois spontané et plein de promesses. Ce partage joyeux chassa les jugements posés *a priori* de part et d'autre. Il allait être le premier fil qui tisserait une complicité inattendue et durable dans le temps entre ces deux femmes aux mêmes initiales, si contraires et à la fois si complémentaires.

« Au risque de vous surprendre, se hasarda l'enquêteure, une fois revenue à son affaire, je pense que cette entrée en matière s'avérait nécessaire pour la suite de notre entretien. Je ne saurais dire pourquoi, dans l'immédiat, mais c'est ainsi. Je vous écoute donc... »

En se penchant sur les deux feuilles, Marie expliqua que ce qui apparaissait sur chacune d'elles était en fait une série de calculs dérivés de la date de naissance du consultant : jour, mois, année, plus certaines impressions personnelles ici et là que Marie notait une fois ce dernier parti, au cas où il la rappellerait ou lui écrirait pour obtenir des éclaircissements supplémentaires. Ces quelques détails suffisaient largement à lui rafraîchir la mémoire. Elle résuma ainsi ce schéma hétéroclite :

« Les astrologues établissent une carte du ciel. Quant à moi, eh bien, on pourrait dire que je compose une sorte de carte de la terre individuelle. Car c'est bien ici que nous naissons et entreprenons notre longue route, n'est-ce pas ? Je l'obtiens à l'aide d'un programme créé sur mesure par un ami informaticien, car on ne peut se permettre de faire des erreurs dans ces calculs qui se révèlent plutôt complexes... »

Ce n'est qu'à ce moment précis qu'elle réalisa la gravité de la situation et que, sans crier gare, la peur la tenailla soudain. Elle ne put s'empêcher de s'écrier :

« Vous... est-ce que vous me soupçonnez de... de quelque chose ? C'est ça ? C'est pourquoi vous êtes ici ? Pour m'arrêter ?

— Non, madame Bouchard, l'assura Bonneau, qui s'attendait à cette réaction. Bien sûr que non, calmez-vous. Je ne viens pas vous arrêter. Je n'ai aucun mandat vous concernant. Mais, comme vous avez vraiment rencontré ces deux personnes, vous êtes désormais considérée comme un témoin important dans l'affaire. Et votre déposition sera primordiale pour l'enquête en cours, ou plutôt pour les deux enquêtes en cours. Vous permettez que j'enregistre notre conversation ? Bien... »

Pendant que l'enquêteure installait le dictaphone et que Marie reprenait ses esprits, elle demanda à brûle-pourpoint :

« Dites-moi, madame Bouch...

— Appelez-moi Marie, je vous en prie, madame fait bien trop pompeux. Je me sentirai plus à l'aise pour vous parler.

— Bien, seulement si vous faites de même avec moi. J'aurais deux premières questions pour vous... *Marie*. N'étiez-vous pas au courant de la mort de ce monsieur et de la disparition de la dame ? Cela ne vous a pas inquiétée que deux de vos consultants soient victimes d'événements si tragiques et à si peu d'intervalle l'un de l'autre ? Et est-il exact que les hommes consultent plus rarement des... des gens comme vous que les femmes ? »

Dans un premier temps, Marie expliqua qu'elle ne lisait pas les petits journaux, ou si peu et, si oui, elle ne s'attardait ni à la rubrique nécrologique ni aux chiens écrasés. En général, s'il lui arrivait de revoir un consultant, il s'écoulait plusieurs mois entre les visites, voire une année. S'ils ne la recontactaient pas pour des informations supplémentaires, ce qui était le cas pour ces deux personnes, ils sortaient vite de ses pensées. De plus, elle cessait ses consultations fin juin pour ne les reprendre qu'en octobre. L'été, elle regardait rarement la télé, les nouvelles étant toujours plus macabres les unes que les autres, et il y avait tant à faire dans le jardin. Tant à vivre dehors. Elle se permettait aussi de petites escapades estivales qui l'éloignaient de la région. Non, elle n'était pas au courant des faits les concernant.

Mais avant de poursuivre, s'était inquiétée Marie, n'était-elle pas tenue au secret professionnel ? Les arts divinatoires ne faisaient pas partie des professions reconnues officiellement, mais cela n'empêchait pas que l'éthique y était tout aussi primordiale, et respectée, mentionna-t-elle au passage. L'enquêteure lui apprit qu'en cas de force majeure, lorsqu'il était question de mort et de disparition suspectes comme dans le cas présent, le respect du secret professionnel pouvait être contourné. En vérité, la majorité des professionnels collaboraient ; c'était, disons, le bon sens qui prévalait, puisque la législation comportait beaucoup de zones grises à ce sujet. De plus, comme Marie l'avait souligné, elle ne faisait partie d'aucun ordre ou corps de métier juridiquement ou officiellement établi ou reconnu, avec un code de déontologie précis, elle ne se trouvait donc pas concernée par cet aspect de la loi.

Rassurée, Marie commença par confirmer qu'effectivement, les hommes ne représentaient que dix pour cent, voire moins, de sa clientèle, ce qui faisait qu'elle se souvenait très bien de Fleury.

« Je vous avoue, madame Bonneau, pardon... Madeleine, que ce monsieur était difficilement oubliable, si je puis m'exprimer ainsi. Michel Fleury est... oh, on doit dire *était*, n'est-ce pas, un très bel homme. Trop beau pour être "vrai", à mon humble avis ! Un don Juan, pur et dur. Ce genre de mâle toujours en rut, insatiable, sans cesse à l'affût d'une proie possible dégage une énergie sensuelle quasi irrésistible autour de lui. Facilement repérable pour qui a le nez fin et l'œil ouvert. Il aurait été incapable de se contenter d'une seule femme, sexuellement parlant du moins. Il les désirait toutes, indépendamment de leurs attributs féminins. Les conquêtes s'ajoutaient une à une à son tableau de chasse, si vous voyez ce que je veux dire.

« Les nombres spécifiques pour l'année en cours, ceux de son thème annuel, euh... inutile de tous vous les énumérer, cela ne vous avancerait à rien, je crois, les nombres le concernant donc montraient un secret, quelque chose de caché, mais de très intense, et qui le tourmentait. Hum, pas vraiment. Cela l'énervait. Je dirais, même si ça peut paraître insolite, que cette situation le rendait plus que tout irritable, un peu comme un *maringouin* qui nous *sille* dans les oreilles une fois couché et dont on n'arrive pas à se débarrasser. »

Devant le regard interdit de Madeleine, Marie crut bon d'ajouter :

« Que voulez-vous, c'est l'image qui m'est venue lors de la consultation. Farfelue, c'est le moins qu'on puisse dire. Mais, hélas, bien réelle. Euh... ce nombre ici, vous voyez le 6 ? Il indique qu'il y a multiplicité, et, par conséquent, choix. C'est aussi le nombre des sentiments et de l'amour. Il implique toujours un choix à faire, entre deux ou parfois plusieurs possibilités, personnes, opportunités, options, relations et le reste. Ce nombre n'a rien de dramatique en soi, sauf que si l'on ne fait pas ce choix, souvent la vie se charge de le faire à notre place... et... oh, excusez-moi, je m'éloigne !

— Non, non, Marie, continuez à votre rythme, c'est très bien. J'ai tout mon temps. Et tout ce que vous pouvez dire m'intéresse au plus haut point. Si je ne comprends pas, je vous demanderai des explications. Et de toute façon, je ré-écouterai l'enregistrement plusieurs fois, il va sans dire.

— OK. Super, car c'est difficile pour moi d'exclure certains aspects ésotériques de mon discours. Dans le cas de monsieur Fleury, ce choix précis concernait davantage son monde émotionnel que son corps physique, sa forme, sa vitalité ou sa santé par exemple. Ou encore le matériel, ses biens, ses finances ou son travail. Il s'agissait dans son cas d'émotions pures, et aussi de sentiments. C'était une évidence pour moi : il y avait deux femmes en jeu. Lorsque je lui ai fait part de ce que je *voyais*, et du choix qu'il devait faire à ce propos, il m'a regardée drôlement, comme si j'étais soudain devenue une extraterrestre. Ça arrive souvent quand je mets le doigt sur quelque chose de vraiment précis, vous pouvez bien sourire, mais ça me surprend toujours quand même. Les gens viennent me consulter pour avoir l'heure juste, et lorsque je la leur donne, ils ont peur du temps ! Étrange paradoxe, non ? Quoi qu'il en soit, lorsque je touche un point vraiment sensible, et qui les préoccupe énormément, les personnes se confient, spontanément. Et ce monsieur Fleury n'a pas fait exception à cette règle.

— Hum, voilà qui est très intéressant. Vous rappelez-vous l'essentiel de ses propos ?

— Oh que oui, je me souviens très bien de *tout* ce qu'il m'a raconté. Ça ne fait pas si longtemps tout de même, et j'ai une excellente mémoire. Ce genre de personne aime beaucoup se mettre en valeur, en avant-scène, peu importe le motif ou le rôle à jouer. Il aura toujours une longueur d'avance sur vous, et sur tout ! Il m'a d'abord demandé si j'étais tenue au secret professionnel, et j'ai répondu par l'affirmative. Mais, bon, il est mort... il y a cette enquête... et d'après vous, je peux... »

L'enquêteure la rassura d'un sourire et d'un hochement de la tête en signe d'acquiescement. Marie prit une grande respiration. Elle s'apprêtait à s'immerger dans sa phénoménale mémoire, tel un plongeur qui se concentre, se détend avant de s'élancer pour faire un saut de dix mètres.

« Il m'a avoué qu'il voyait en effet une autre femme, plus jeune que sa conjointe, d'une dizaine d'années, je crois. Mais que, *cette fois*, il a bien insisté sur le *cette fois*, ça allait trop loin. Ce terme impliquait de toute évidence qu'il y avait eu d'autres fois, comme sa carte de la terre me le laissait supposer.

« Il commençait à perdre le contrôle de la situation. Cette maîtresse était tombée follement amoureuse de lui et exigeait toujours plus : qu'il mette son épouse au courant de leur relation, qu'il s'arrange, jusqu'à ce qu'il *règle ses affaires*, car c'est ce qu'il lui répétait sans cesse, m'a-t-il dit, pour lui consacrer plus de temps. Je ne sais pas combien de fois il m'a seriné ce discours : "*Je ne cesse de lui dire que c'est compliqué et que j'ai besoin de temps pour* régler mes affaires. *Elle, elle vit seule, elle n'a pas à gérer tout ça, c'est facile pour elle ! Je lui répète que l'engagement pour moi veut dire beaucoup... alors de le briser après plus de trente ans de vie commune... c'est pas évident... pas facile. Pourquoi est-ce qu'elle me met toute cette pression ?*"

« Il a mentionné qu'il la voyait régulièrement, plusieurs fois par semaine, pendant ses heures de travail à lui, alors qu'elle, elle jonglait avec son propre horaire, rarement le soir et parfois un peu le samedi très tôt, en prenant les précautions nécessaires. C'était déjà beaucoup, d'après lui. Apparemment, sa maîtresse exigeait qu'il dorme avec elle, qu'il passe des dimanches en sa compagnie, qu'ils sortent le soir ou qu'ils fassent de petites escapades. Elle avait envie de vivre sa relation au grand jour. Elle ne comprenait pas ce qui le retenait auprès de son épouse, puisqu'il l'avait assurée qu'il n'avait plus de "rapports intimes" avec elle. Un

41

classique du genre, à mon avis. De plus, ses enfants étaient autonomes, adultes, vivant en dehors de la région. Par conséquent, elle remettait sans cesse en cause les remises en question de son amant. Après une année à se fréquenter en cachette, il était temps pour lui de prendre sa décision et d'en assumer les conséquences : il devait quitter sa femme, car sa maîtresse ne supportait plus ce triangle amoureux. Ni ses longues absences ni le fait de ne jamais pouvoir lui écrire ou lui parler au téléphone. C'était uniquement lui qui créait le contact, c'est ce qu'il m'a avoué. Autrement, c'était trop risqué. »

Marie s'arrêta quelques instants, le temps de reprendre son souffle et de vérifier un détail auprès de l'enquêteure qui semblait soudain mal à l'aise.

« Hum... à force de côtoyer tant de caractères dans votre métier, Madeleine, ce genre d'individu vous est probablement devenu familier... »

L'enquêteure essayait tant bien que mal de cacher son malaise, lequel, de toute évidence, n'avait pas échappé à la perspicacité inouïe de son interlocutrice. Cette description s'appliquait tellement à sa dernière relation amoureuse qu'elle en avait le vertige. Elle découvrait là que la plupart des hommes mariés agissaient suivant un même *pattern* dont elle-même avait fait les frais. Elle appuya sur le bouton « pause » de l'enregistreur avant de confier :

« Je... je dois vous avouer, Marie, que... je connais très bien ce genre d'individu, parce que moi-même, j'en ai côtoyé un, il n'y a pas si longtemps. Il m'a promis monts et merveilles, un sacré illusionniste.

— Et j'imagine qu'il n'a pas quitté son épouse.

— Non, en effet. Et cela, malgré ses nombreuses promesses. »

Marie n'insista pas davantage, car l'enquêteure avait remis l'enregistreur en marche. Elle reprit donc son témoignage.

« Je lui ai demandé, évidemment, s'il aimait cette autre femme, s'il avait de réels et profonds sentiments pour elle. Et il a répondu ceci : *"Je ne peux pas me passer d'elle. Est-ce que je ferais tous ces kilomètres, est-ce que je prendrais tous ces risques pour aller la voir si ce n'était pas... de... l'amour ? Je n'arrive pas à me passer d'elle..."* L'immaturité de sa réponse m'a choquée, c'est le moins qu'on puisse dire. Ça a été plus fort que moi, j'ai cru bon de lui faire remarquer qu'un homme vraiment accroché sexuellement pouvait faire plus, beaucoup plus même, sans que cela signifie qu'il soit amoureux. Et je lui ai avoué ne pas comprendre sa *notion de respect d'engagement*. N'avait-il pas déjà grandement "galvaudé" son mariage en trompant impunément et régulièrement sa femme ? Je me souviens qu'il n'a pas trop apprécié ma remarque, surtout le mot "régulièrement", qui prouvait ma clairvoyance, si on peut dire, à son égard. Car c'est d'un ton outré qu'il m'a rétorqué à peu près ce qui suit : *"Mais ça n'a aucun rapport ! Vous, les femmes, vous mélangez toujours tout. Gardez donc ça pour vos recettes de cuisine ! Ce ne sont que des... des expériences d'ordre privé, voilà tout. Insignifiantes, pour ainsi dire, et surtout sans conséquence. Après toutes ces années, ne suis-je toujours pas avec ma femme, à prendre soin d'elle comme au premier jour et mieux encore avec les années ? Elle n'a jamais eu besoin de travailler à l'extérieur, vous savez... Elle n'a jamais, mais jamais manqué de rien."*

« Je me souviens que je me suis excusée de l'avoir offensé. Je vous avoue aujourd'hui que j'étais très étonnée de mon comportement, ce n'est pas dans mes habitudes de

passer de telles remarques en consultation. Ça a été un ré-
flexe chez moi, ce besoin de le confronter. Force m'était de
constater qu'il avait une notion de l'engagement très élas-
tique, et surtout très relative, c'est le moins qu'on puisse
dire, non ? Sa femme n'était-elle pour lui qu'une bonniche,
qu'une potiche ? On peut le supposer. Le mauvais pli était
pris depuis si longtemps qu'aucun fer n'en viendrait à bout !
Voyez-vous, Madeleine, je crois que cet homme ne savait
aimer que lui-même. Il y avait quelque chose de dérangeant
chez lui, d'immensément égocentrique. Je dirais même de
maladivement narcissique. Il paradait, tout le temps. En
gestes, en paroles, en attitudes. Peut-être ne le réalisait-il
pas lui-même, mais Michel Fleury était devenu avec les années de pratique un prodigieux faussaire de l'amour. Vous
le savez mieux que moi, Madeleine, quiconque peut se faire
prendre à accepter un faux billet tant il semble conforme à
l'original. De même en est-il avec ce genre d'homme, question sentiment amoureux. Il n'y a donc pas de honte à avoir,
c'est mon humble avis. »

Cette remarque prosaïque, allez savoir pourquoi, fit un
bien fou à Madeleine.

« Il se sentait déjà très généreux, voire magnanime envers sa maîtresse du seul fait de son intérêt pour elle, reprit
Marie dans son élan. Oui, oui, c'était exactement ce qu'il
ressentait. Particulier, non ? Qu'avait-elle donc à chialer ? À
toujours quémander ? C'était pathétique, et surtout très pé-
nible d'entendre un tel discours, et je plaignais cette inconnue en mon for intérieur, quelle qu'elle puisse être.

— Vous plaigniez la maîtresse et non l'épouse ? Pourquoi donc ? s'étonna l'enquêteure.

— Croyez-vous vraiment qu'après tant d'années passées
ensemble, une conjointe puisse ignorer l'appétit insatiable

de son mari pour le sexe, appétit qu'il assouvissait dans des relations extraconjugales ? Ou bien acceptait-elle avec résignation la situation, ou bien se fermait-elle volontairement les yeux par intérêt personnel, tout en rongeant son frein, ou bien faisait-elle pareil de son côté ? Cela arrive dans certaines unions. Peu importe ses raisons, le fait est qu'elle était toujours mariée à cet homme après plus de trente ans !

« Ce Fleury faisait partie de ceux que j'appelle les passagers clandestins : ceux qui voyagent dans le secret, l'ombre et l'anonymat pour profiter de tout sans rien débourser. Cette métaphore s'applique aux relations sentimentales, vous savez : ces personnes, hommes ou femmes, voyagent en catimini dans la vie, ou l'esprit ou le corps de l'autre, mais en ne déboursant aucun sentiment, en n'y mettant aucun engagement ou investissement d'ordre personnel. Ces liaisons à répétition on ne peut plus satisfaisantes pour l'ego et la libido exigeante de Fleury ne lui coûtaient strictement rien. Sa quête du voyage gratuit était uniquement liée au sexe.

« C'était un menteur aguerri, manipulateur dans son genre. Mais avec un gros point faible. Il semblait maladivement inquiet et "insécure" financièrement, alors qu'il gagnait bien sa vie en tant que propriétaire d'une agence immobilière, si j'ai bonne mémoire. Un divorce, avec la séparation du patrimoine qui s'ensuit, ne faisait sûrement pas partie de son plan de match. S'il sentait qu'une autre personne prenait ou montrait un désir de prendre le contrôle de sa vie, comme dans ce cas-ci, il devenait très... agacé. »

À ce point, Marie se tut et réfléchit.

« À quoi pensez-vous ? demanda Madeleine Bonneau. Dites-moi tout ce qui vous vient à l'esprit. Ne vous inquiétez pas de savoir si c'est pertinent ou non, allez-y.

— OK, si tout ce qu'il touchait se transformait en or, que ce soit pour sa carrière professionnelle ou dans ses loisirs, Michel Fleury était inapte à prendre des décisions cruciales, et surtout honorables, quand il était question d'émotions ou de sentiments profonds : un inadapté émotionnel en quelque sorte. Il paraissait incapable de faire des choix, comment dire, consciencieux, réfléchis, sérieux. C'était avant tout un instinctif, un homme de sensations, de passions et de besoins à assouvir, une sorte de loup-garou déguisé en prince. Rien ne semblait pouvoir émouvoir ou toucher sa conscience ou son âme : ni l'amour, ni l'honnêteté, ni la souffrance qu'il pouvait engendrer par son comportement narcissique, rien ! Probablement parce que sa conscience était ensevelie sous des couches opaques de mensonges, de promesses non tenues, de duplicité, de manipulation, et j'en passe. Et peut-être aussi par des problèmes psychologiques plus graves, datant d'il y a longtemps, et jamais résolus ? Qui peut savoir...

« Le suicide est un choix, Madeleine, un choix sans aucun retour en arrière possible. Quoi qu'on en pense ou qu'on en dise, il faut un certain courage pour faire ce choix, stérile, certes, quant à la vie, mais qui aboutit néanmoins à la mort ! Si vous voulez mon avis, Michel Fleury n'était pas du tout un candidat au suicide. Jamais il n'aurait eu cette sorte de courage et, Seigneur Dieu, il idolâtrait bien trop sa petite personne pour s'enlever la vie ! Il n'était pas déprimé, mais assurément très agacé par la situation. Que d'autres se suicident pour lui, peut-être bien... Mais je trouve ça absolument incroyable venant de lui, et franchement improbable.

— C'est vraiment votre impression ? Et il ne vous a pas paru déprimé, triste, découragé, rien de ce genre ?

— Non, ce n'est pas juste une impression, mais une conviction, affirma Marie. Je connais les symptômes de la dépression, et il n'en avait aucun. Pas à la fin mai, en tout cas. Après, je n'en sais rien. Qui a pu vous raconter une chose pareille ? »

Devant le silence de l'enquêteure, qui ne pouvait vraisemblablement pas commenter, Marie poursuivit :

« Au fur et à mesure de notre entretien, il m'a avoué qu'il avait commencé à pousser cette autre femme à le quitter, car lui s'en sentait incapable. Il promettait mer et monde tout en s'éloignant sciemment : il se laissait davantage attendre, la privait de coups de téléphone, et posait d'autres gestes du même genre. Ce qu'il voulait apprendre de moi finalement se résumait à ceci : sortirait-elle de sa vie sans bavure, sans fracas, ce qui revenait à dire : sans prix à payer ? Car même si, cette fois, la relation avait duré plus longtemps que toutes les autres, qu'il était toujours vraiment "accro" à cette femme, il ne quitterait pas son épouse. Il ne l'avait jamais fait avant, pourquoi maintenant aux abords de la retraite dorée qu'il avait longuement préparée ? Pas question pour un tel homme d'affaiblir une façade si habilement et minutieusement construite depuis des années : sa famille, sa réputation, son ego, son statut social, et aussi ses finances.

— Que lui avez-vous dit ? Qu'avez-vous répondu ou... prédit ?

— Vous voyez ce nombre, là ? Le 13. Je n'ai pu que lui dire que *quelque chose se terminait pour lui.*

— Vous lui avez annoncé qu'il allait mourir ? s'écria Bonneau, incrédule et stupéfiée. (Comme tout un chacun, elle connaissait le côté morbide souvent rattaché à ce nombre.)

— Bien sûr que non, voyons! s'écria à son tour Marie, sous le coup d'une telle méprise. Ce n'était pas le sens de mes paroles alors, mais pas du tout. On ne cherche jamais à voir la mort d'une personne dans une consultation. En vérité, elle peut se cacher derrière n'importe quel nombre, tant elle est différente pour chacun d'entre nous. Selon les âges, et les multiples calculs, on retrouve plusieurs fois le nombre 13 dans notre vie, et pourtant on ne meurt qu'une fois! Ce 13 était plutôt lié à ce qu'il vivait présentement, et qu'il y aurait, fatalement, qu'il agisse ou non, une issue certaine. Une fin annoncée en quelque sorte. J'ai bien vu qu'il ne choisirait pas d'agir en homme responsable, surtout envers sa maîtresse qui croyait en lui et qui l'attendait, confiante. Et cela, parce que le 13 était situé dans sa zone passive et non dans la zone active de son thème annuel. Comprenez bien: un 13 en "actif" aide ou stimule à passer soi-même aux actes, à prendre des décisions parfois extrêmes, voire à trancher définitivement avec certaines dépendances, par exemple. En "passif", comment dire, c'est la main du destin qui agit.

« "*Selon moi*, lui ai-je donc prédit, *la vie ou le destin se chargera de choisir et d'agir pour vous. Il y aura bel et bien un dénouement, une issue définitive à toute cette histoire.*" Il en a déduit que cette liaison mourrait de sa belle mort, que sa maîtresse se lasserait et mettrait elle-même un terme à leur liaison. Cela demeurait la plus juste probabilité, en effet! Il a semblé satisfait, plutôt soulagé, et m'a laissé un large pourboire. Parade oblige... »

Le temps se figea, telle la cire le long d'un bougeoir. Madeleine demeurait suspendue aux lèvres de Marie qui paraissait toute chamboulée.

« Seigneur Dieu ! se désola la numérologue après un moment de silence, c'était pourtant le cas, cette fois. Il s'agissait aussi de mort physique ! C'est la première fois que j'en ai la... la confirmation !

— C'est vrai ? Ouache, ça ne doit pas être évident, en effet. À la lumière de ce que vous savez maintenant, des faits réels, seriez-vous en mesure d'étudier cette... carte ou son thème annuel sous un nouvel angle ?

— Je vois où vous voulez en venir. Peut-être bien. »

En dépit des circonstances invraisemblables, Marie réussit à se concentrer plusieurs minutes.

« Je suis désolée, Madeleine, j'ai beau regarder, chercher, mais il n'y a pas de nombres liés au suicide. Il aurait fallu d'abord un 12. Un 16, éventuellement, pour un coup de tête désespéré... Ces nombres associés au 13 auraient pu indiquer une telle issue. Et, si je puis me permettre de le répéter, ils auraient dû se trouver, obligatoirement, en zone active. Et ce n'est pas le cas ici.

« Fleury avait un 6, soit deux femmes en jeu. Il y a dans son thème annuel des nombres à forte tension, c'est évident, comme le 13 et le 18. Lesquels sont, de plus, amplifiés par cette vibration, juste là, le 11. Ce dernier, quoique sans tension, est un nombre très puissant. Il accentue la libido chez un homme, et plus précisément l'attrait ou le besoin d'accouplement, par exemple. Toutefois, il peut aussi indiquer une colère incontrôlée, un contexte violent, parfois un abus ou un mauvais usage des forces en présence...

— Vous avez mentionné le 18, pourquoi ?

— Oui. Le 18 symbolise les secrets, choses cachées, mensonges, conspirations, intrigues, aventures extraconjugales, ivresse, drogues, entre autres. Ce nombre, appelé *la Lune*

dans le tarot divinatoire, est associé à la nuit, comparativement au 19, lié au soleil et au jour. Il touche également la
famille et tout ce qui s'y relie. Le seul nombre associé à la
mort en tant que telle est ce 13, mais, à l'instar du 18, il est
situé dans sa zone passive, et non active ! En résumé : Fleury
A REÇU LA MORT, si je peux m'exprimer ainsi, ou la mort
est venue, telle une voleuse, le chercher, si vous préférez...

« Désolée, je ne vois rien d'autre. Peut-être que l'étude
numérologique d'Annie Després nous éclairera mieux ? En
effet, il est possible, et fort probable, mais ce sera à vous
d'en juger, qu'il s'agisse de sa maîtresse, car elle avait bel et
bien une relation avec un homme marié. Je vous en parlerai
tout à l'heure... Je peux vous offrir quelque chose ? Un thé
vert, un café, une boisson gazeuse ? J'ai vraiment besoin
d'une pause, vous savez. Je suis tellement retournée par tout
ça ! »

Annie Després

« Le monde est si petit finalement, remarqua l'enquêteure pour elle-même en reposant sa tasse de thé vert. Dites-moi, Marie, quand monsieur Fleury est venu vous consulter à la fin mai, vous a-t-il mentionné qu'il avait été référé par quelqu'un en particulier ?

— ... Hum... désolée, je ne m'en souviens pas, ou alors nous n'avons pas abordé la question. Il arrive que certains mentionnent venir de la part d'un tel, mais là, non, ce n'était pas le cas. Plusieurs passent directement via mon site, vous savez.

— Bien, ce n'est pas grave. J'aimerais que vous me décriviez d'abord Annie, que vous me parliez d'elle, de son caractère, ou du moins de ce que vous avez pu voir ou découvrir. Et, aussi, ce qu'elle a pu vous confier.

— Ah, je l'ai tout de suite prise en affection, celle-là ! s'exclama Marie spontanément. Annie fait partie de ces personnes qui manifestent une écoute, une sensibilité, une disponibilité à l'autre, ainsi qu'une féminité parfaitement assumée. Une très belle femme, gracieuse, dans une forme physique resplendissante. Elle paraît plusieurs années de moins que son âge, mais je pense qu'elle n'a aucune conscience de ce qu'elle dégage! Elle est gentille, douce, intelligente. Je la voyais bien dans l'enseignement, ou dans le domaine de la littérature. Dans les faits, la lecture était son dada, m'a-t-elle confirmé, et elle était directrice d'une école primaire, je l'ai noté, là. Dieu qu'elle semblait adorer ses petits bouts de choux! Elle m'en a parlé avec beaucoup d'enthousiasme.

« Aucun problème à se réaliser en société, mais quant à sa vie privée, c'est une tout autre histoire. C'est une grande amoureuse qui a souvent été déçue par l'amour, hélas! Elle a un caractère fort, un tempérament fougueux même, une belle énergie globale, mais elle demeure sous l'emprise d'une grave dépendance affective qui découlerait d'un manque d'amour ou de reconnaissance parentale, dans son très jeune âge probablement. Non seulement du père, mais de la mère aussi. Cette dépendance la rendait vulnérable et influençable dans toutes ses relations. Mais je n'ai pas abordé cette dimension avec elle, je ne suis pas psy, c'est un simple avis que j'énonce ici.

« Toujours célibataire, sans enfant. Non pas qu'elle n'en ait jamais désiré, m'a-t-elle avoué, ça n'avait juste pas "adonné". Je crois qu'elle craignait de reproduire le schéma de sa propre enfance et de ne pas être à la hauteur d'être mère ou parent. D'où son grand attachement envers ses élèves. Une compensation, en quelque sorte, toujours à mon humble avis, bien sûr. Vous m'avez demandé un portrait d'Annie, alors je vous dis tout ce qui me vient à l'esprit. Même ce que nous n'avons pas abordé ensemble.

— C'est parfait, continuez...

— Elle avait fêté ses 47 ans le 12 mars. Elle se trouvait donc dans ce que j'appelle son *thème annuel* depuis trois mois... »

Au fur et à mesure que Marie parlait, Madeleine éprouvait une stupéfaction grandissante. Le portrait de Fleury dressé par la numérologue et celui fait par son milieu de travail correspondaient en tous points – sa «nouvelle et énième» secrétaire avait eu une aventure torride avec lui une année auparavant, à l'instar de celle qu'elle remplaçait. Elle avait vite rompu, voyant qu'il n'avait aucune «réelle et sérieuse» intention de quitter sa femme!

Contre toute attente, ce n'était plus un seul, mais bien deux portraits de Fleury qui s'avéraient à l'opposé de celui présenté par l'épouse!

Sans le savoir, Marie venait de renforcer l'intérêt que Madeleine portait déjà à la veuve de Fleury, Claire Tanguay.

Il faut dire que dès le premier entretien avec cette dernière, l'enquêteure avait été convaincue que cette madame Fleury, fervente adepte de l'OPP (soit l'obsession de la perfection parfaite: c'est le terme que Mado utilisait pour décrire les gens maniaques ou obsédés par le souci du détail exagéré ou de la propreté hyper méticuleuse), cachait un secret ou alors quelque chose dont elle n'était pas fière. Il arrive souvent qu'une exagération, une manie obsessive, comme une propreté extrême ou un souci du détail exagéré, pallie un malaise, un manque, une carence, un travers ou un défaut comme venait de le souligner à juste titre Marie. Ce n'était peut-être pas grave en soi chez la veuve: par exemple, le fait d'être cocue depuis des lustres symbolisait (possiblement) à ses yeux une union constamment bafouée, mais surtout souillée ou salie, d'où cette obsession, vraisemblablement. Marie Bouchard avait raison: Claire Tanguay savait sûrement que son mari la trompait (c'était un secret de Polichinelle), mais préférait, allez savoir pourquoi, laisser croire au monde qu'elle ignorait tout de cette situation.

Lors de leur entretien en juillet, Bonneau avait eu la nette impression qu'elle jouait plusieurs rôles à la fois, dont celui de la femme jusque-là parfaitement heureuse et comblée, en ménage comme en société, et le rôle de celle qui n'a rien à se reprocher et à qui l'on ne peut rien reprocher. Cet excès dans les apparences de perfection et de bienséance ne cachait sans doute rien de grave, mais, attendu le déni au sujet des frasques de son mari, et la description d'un état dépressif le concernant qui ne trouvait écho nulle part ailleurs, il fallait s'en assurer. Si une parfaite inconnue comme Marie Bouchard était en mesure de cerner rapidement le personnage de Fleury, après une seule rencontre, il semblait peu probable que sa conjointe le connaisse si mal après plus de trente ans de vie commune. Ce détail n'en faisait pas une première suspecte, loin de là, mais tout de même une possible suspecte aux yeux de Bonneau.

L'assurance-vie de Fleury avait été contractée depuis plusieurs années, et aucun changement récent n'avait été apporté. Même si l'indemnité de deux cent mille dollars n'était pas « doublée », puisqu'il s'agissait d'un suicide et non d'un accident, la somme demeurait conséquente. De plus, le patrimoine colossal que laissait le défunt (un bon magot dans les comptes bancaires, des placements, des biens de toutes sortes tels que villa cossue au bord du lac Saint-Jean, voitures de luxe, résidence secondaire dans les Cantons-de-l'Est, petit chalet en rondins au bord du Saguenay, bateau, entreprise, etc.) pesait lourd parmi les autres mobiles d'un crime hypothétique.

Eaux troubles, avait-elle décrété d'un ton sans appel à ses collègues lors du *briefing* de routine qui avait suivi le retour au poste. Parce qu'il était question de suicide, ces derniers avaient répondu à l'appel de la veuve en vertu de la loi dite du coroner, une disposition du Code criminel s'appliquant uniquement en cas d'homicide ou de mort suspecte.

C'est donc ce que Mado affirmait chaque fois qu'il y avait matière à enquêter plus en profondeur. Ou, à tout le moins, qu'il y avait intérêt à laisser l'affaire « en gestation », c'est-à-dire en attente de développement, selon son expression. Force est d'admettre qu'elle se trompait rarement.

Toutefois, preuve avait été rapidement faite que le corps de Fleury ne portait aucune marque suspecte de choc ou d'éraflures quelconques, aucun hématome visible ou invisible. Le pathologiste d'Alma avait été formel : le corps n'avait pas été transporté. Fleury était mort de suffocation, avec une seule empreinte bien nette autour du cou, soit celle de la corde pour se pendre, signifiant ainsi qu'il n'avait pas été étranglé auparavant. On avait retrouvé dans son système des traces d'anxiolytique et de somnifère, ainsi qu'un taux d'alcoolémie élevé, mais ce n'était pas rare chez les suicidés. Et la veuve leur avait fourni une explication crédible à ce sujet.

Madame Fleury, de petite taille, était de plus très menue ; il lui aurait été physiquement impossible de transporter le corps de son mari, par exemple endormi ou soûlé au préalable, sans devoir le traîner et le faire rebondir sur les marches d'escalier menant à son atelier au sous-sol. Ce qui aurait OBLIGATOIREMENT laissé des marques. En dépit de cette preuve irréfutable, l'enquêteure avalait difficilement la thèse du suicide et sa *petite voix* lui soufflait de demeurer vigilante et d'aller un peu plus loin, de fouiller en profondeur, si l'occasion se présentait. La veuve devenait tout de même une très riche héritière. Elle aurait pu le soûler dans l'atelier, attendre qu'il tombe dans les vapes, mais encore là, elle aurait dû le soulever d'une manière ou d'une autre, à la hauteur de la corde pour le pendre, et elle en était physiquement incapable. Aucun élément matériel, lors de l'inspection par les techniciens en scène de crime de l'atelier où Fleury s'était suicidé, n'avait d'ailleurs étayé une telle hypothèse.

Sa toute première pensée en voyant le pendu au sous-sol avait été farfelue, inopportune à la limite : *Comment peut-on mettre fin à ses jours en étant si beau et si charismatique?* L'impression que *quelque chose clochait* demeurait collée à elle telle une sangsue.

Depuis, à temps perdu, même si l'enquête était pour ainsi dire bouclée, elle réfléchissait, se posait des questions, sans trouver l'ombre d'une piste valable. Et voilà que cette Annie Després, disparue sans aucune raison en juillet, s'avérait peut-être avoir été en lien plutôt intime avec Fleury? Si tel était le cas après vérifications et enquête, elle pourrait revoir la veuve, fouiller ses grands fonds intérieurs, ceux invisibles au regard d'autrui. Et, qui sait, retourner inspecter l'atelier de Fleury?

Quant au portrait d'Annie, il correspondait aux descriptions faites par ses proches, son entourage professionnel et social. Madeleine ne put s'empêcher de suivre le fil de ses pensées à voix haute.

« ... Excusez-moi de vous interrompre, Marie, il y a tout de même une question qui me chicote...

— J'imagine que vous désirez savoir si je connaissais ces deux personnes avant de les rencontrer, la devança Marie avec un sourire énigmatique.

— Eh bien, oui! Mais comment diable sav...

— C'est toujours comme ça, l'interrompit Marie laconiquement. J'ai l'habitude. Non, Madeleine, je vous affirme sur mon honneur que ces deux consultants étaient pour moi de purs étrangers. Je n'avais jamais entendu parler d'eux par quiconque auparavant et ils n'ont jamais recroisé mon chemin par la suite.

— Avouez que c'est plutôt... comment dire... dérangeant!

— Dérangeant?... Hum, pour vous, sûrement, j'en conviens, mais pas pour moi. Laissez-moi juste vous expliquer une petite chose avant de poursuivre. On définit les nombres comme étant des "symboles" numéraux. Toute notre vie, nous répétons pour un oui pour un non les nombres liés à notre naissance. Chaque année, nous soulignons, ou d'autres le font pour nous, cette fameuse date d'anniversaire, même si elle nous avance inexorablement vers la vieillesse, et la mort certaine! En tant que symboles qui nous accompagnent depuis le jour de notre naissance, je trouve normal, logique et sensé que ces nombres précis aient leur influence propre, tant sur notre caractère que sur nos comportements, nos choix de vie, nos aspirations. Au même titre que notre lieu de naissance, notre instruction, notre éducation, notre alimentation, nos goûts, nos relations, notre famille, nos amis, le temps qu'il fait, la musique qu'on écoute, et le reste. Ces nombres précis ont une influence vibratoire sur nous, un peu à l'image d'une onde qui produit sur son passage des variations, en propageant différentes perturbations. Aujourd'hui, les premiers à utiliser le vaste monde des symboles sont les psychiatres et les psychologues. Puis viennent les cartomanciens, les tarologues, les chiromanciens, clairvoyants, médiums, et cetera. Les artistes également connaissent bien les symboles, ils s'en servent beaucoup. Les peintres, les poètes, les écrivains. Les musiciens, avec le solfège, par exemple. Néanmoins, pour tout un chacun, psys, médiums, artistes, vous et moi inclus, c'est surtout l'âme qui s'en sert, et cela, à notre insu.

— Je ne vous suis pas, là. Notre âme?

— Pour tous sans exception, l'âme, d'essence intemporelle, utilise le langage symbolique! Le seul qui lui semble le plus universellement compréhensible, disons, et surtout le plus approprié. Où? Dans les rêves, principalement. Pendant notre sommeil. Parfois dans les signes de jour, aussi. L'âme ne montre jamais notre personnalité, les situations, les événements tels qu'ils sont en réalité. Pourtant, chacun des concepts allégoriques qu'elle privilégie nous représente, nous parle de nous, d'une facette de notre caractère, d'un aspect passé, actuel et même futur de notre vécu. S'il y a urgence dans notre vie, si nous sommes sur le mauvais chemin, l'âme utilisera une panoplie de symboles, grands et universels comme petits et individuels, pour nous mettre en garde ou nous ouvrir de nouvelles voies, nous proposer des solutions... Prenons l'enfant, par exemple. S'il est féminin dans le rêve, l'âme cherche ainsi à indiquer la naissance d'un aspect spirituel ou très personnel de notre vie, ou bien un rêve essentiel que nous avons délaissé ou carrément abandonné, voire renié. Une femme m'avait raconté qu'elle ne cessait de rêver à un bébé fille qu'elle oubliait ici et là, jusque dans un tiroir! Chaque fois, il était, à sa grande surprise, toujours vivant bien qu'elle n'en ait jamais pris soin, qu'elle ne l'ait jamais nourri! Ce songe nocturne la tourmentait beaucoup. Effectivement, des années plus tard, une fois qu'elle se fût pleinement investie dans une carrière, artistique en l'occurrence, elle n'a plus jamais fait ce rêve récurrent. Si l'enfant est masculin, le temps de se réaliser socialement est venu... Oh, je m'éloigne. Encore! Je suis impardonnable. Tout cela pour vous dire que ce que je fais est plutôt simple et logique, du moins ça l'était dans les temps anciens. Je ne fais qu'étudier, comprendre et transcrire le langage symbolique des nombres qui jalonnent le parcours des individus, ceux de sa naissance principalement, et parfois d'autres qui lui semblent importants dans sa vie, sans plus.

« Revenons à Annie... euh...

— Vous disiez qu'elle se trouvait dans son année... non... pardon, dans son *thème annuel* depuis trois mois, rappela l'enquêteure, sourire en coin.

— Oui. Exact. Elle était donc au début d'une année qui s'avérerait sûrement difficile pour elle : les années 12 le sont pour plusieurs personnes.

— Excusez-moi... Vous avez bien dit 12 ? Le 12 dont nous venons de parler ? s'inquiéta à juste titre l'enquêteure qui voyait d'un coup défiler devant elle des images funestes.

— Oui, celui-là même, il n'y a qu'un seul 12 dans les nombres, n'est-ce pas ? Donc, je ne lui ai pas caché que son année serait difficile, sans l'affoler outre mesure. Ses nombres personnels, que j'additionne au nombre-thème de l'année, le 12 dans son cas, ne la favorisaient pas. Ce thème particulier l'affaiblissait en quelque sorte, renforçant l'aspect négatif de ce nombre qu'elle possédait déjà, puisqu'elle est née un 12 mars. Ce doublon contribuait à la rendre plus fragile, plus malléable, plus influençable qu'elle ne l'était déjà.

« Vous devez savoir, Madeleine, que le nombre 12 touche tous les liens dans notre vie. Comme je vous l'ai mentionné tantôt, il fait partie des nombres dits à très forte tension, comme le 15, le 18, le 16 ou encore le 13. Attendez, je vais vous le montrer en image... Parfois, on saisit mieux la force symbolique... Ah, le voici, dans le tarot, c'est le Pendu. »

Marie suspendit son geste, alors qu'elle allait reposer l'arcane du tarot sur la table. Le visage de Madeleine Bonneau avait subitement changé de couleur. Tellement habituée à jongler avec toutes ces images, ne les voyant presque plus elle-même, Marie avait négligé à quel point, ici et maintenant, celle-là pouvait avoir un impact considérable sur son interlocutrice. Et elle regretta d'avoir exhibé le Pendu. Il était évident que l'enquêteure était assaillie de crainte quant à la femme disparue.

Toutes deux demeurèrent silencieuses pendant de longues secondes.

Madeleine se sentait bizarre, comme si la réalité, soudain, lui échappait. Ballottée dans une sorte de distorsion du temps, elle ne savait plus à quoi se raccrocher. Autant l'image la propulsait dans le passé de Fleury, autant elle la dirigeait inexorablement vers le futur d'Annie Després. C'était à la fois tordu et limpide. Incompréhensible et pourtant évident. C'était à la fois singulier et pluriel.

Pendant ce court laps de temps, Marie resta silencieuse, bien décidée à attendre des explications détaillées de la part de Bonneau. À chacun son tour de dévoiler des secrets.

« Fleury s'est... (Elle déglutit avant de poursuivre.) Il s'est pendu au sous-sol de la demeure familiale, lui confirma l'enquêteure, très déroutée.

— Ah, je comprends mieux votre réaction.

— C'est sa femme qui l'a découvert, mais seulement en fin d'après-midi. Le lundi matin, 29 juillet, elle le croyait parti au travail, comme d'habitude. Il quittait souvent la maison avant même qu'elle ne soit réveillée, apparemment. Son job était *très prenant*, c'est ce qu'elle a affirmé. Il déjeunait régulièrement au restaurant en lisant son journal. C'est après un appel de sa secrétaire qui le cherchait – un client attendait Fleury à son bureau pour une transaction importante et son cellulaire était en mode messagerie – que madame s'est activée à le joindre. Elle a téléphoné un peu partout, sans résultat. Elle a fait le tour de leur grande propriété au bord du lac Saint-Jean, sans le trouver. Elle ne s'est pas inquiétée outre mesure ; il arrivait que son mari reprogramme ses rendez-vous ou apporte des changements à son horaire sans avoir le temps de prévenir qui que ce soit !

« C'est plus tard en après-midi, en allant faire un lavage au sous-sol, qu'elle a vu la porte de son atelier grande ouverte, il la fermait toujours quand il s'absentait, et qu'elle l'a découvert... pendu.

— Mon Dieu ! Mais ça a dû être un choc terrible pour elle ! Et pour ses proches !

— Un choc ! Euh... pour son fils, et surtout sa fille, et aussi sa famille immédiate, parents, frères et sœurs, oui, en effet, et c'est peu dire tant personne ne semblait pouvoir y croire. Plusieurs collègues... se... sont montrés du même avis que vous, en fait, sur sa... sa personnalité et ses comportements... disons privés. Personne en tout cas ne l'aurait pressenti dépressif, ni qualifié comme tel. Contrairement à sa conjointe, elle... Désolée, je ne peux en dévoiler plus. Reprenons avec madame Després, si vous le voulez bien, Marie. »

De toute évidence, il y a là un premier hic, songea la numérologue. *L'épouse de Fleury n'était pas « surprise » du suicide de son mari, alors qu'elle aurait dû l'être comme les autres ? Ou ses impressions, ses conclusions, son témoignage divergent tant de ceux de l'entourage de Fleury qu'elles laissent l'enquêteure perplexe ou dans le doute ?*

« Bien sûr, oui, je comprends, concéda Marie, à contre-cœur. (À cet instant, la curiosité la tenaillait ; elle aurait tout donné pour en savoir plus.) Plusieurs liens dans la vie actuelle d'Annie s'avéraient ou s'avéreraient donc néfastes pour elle au cours des prochains mois. Elle devait soit mettre un terme à certains d'entre eux, ou en redéfinir les aspects, ou bien s'en libérer d'une façon ou d'une autre, et cela, avant d'en subir de très graves conséquences.

— De quel ordre ? demanda Bonneau, fort intéressée.

— Eh bien, de tous ordres, malheureusement ! D'abord d'ordre physique, tels que la maladie ou un accident *sérieux* qui la paralyse ou l'oblige à arrêter momentanément ses activités, par exemple. Et aussi d'ordre moral ou mental, comme le fait de prendre de très mauvaises décisions ou de s'enliser dans des situations hors de son contrôle, de tomber sous le joug d'un gourou ou d'une personne très influente et néfaste. Ce genre-là.

« Après lui avoir fait part de tous ces points cruciaux et de mon ressenti, elle s'est mise à pleurer, en répétant la voix entrecoupée de sanglots : *"Je sais, je sais bien tout ça, mais je ne peux pas, je n'arrive pas à le laisser ! Vous voyez juste, madame Marie. J'ai une liaison avec un homme marié depuis plusieurs mois. Il me ment, me manipule, il abuse de ma patience, il sait que je suis follement amoureuse de lui. Et je sais... de source sûre... que ce n'est pas un homme bien. Pas bien du tout. C'est comme si je l'aimais et le haïssais à la fois. C'est très déstabilisant."* Voilà, c'est à peu près dans ces mots qu'elle m'a fait cette confidence ! Il était clair qu'elle était sous l'influence d'un homme très puissant, un personnage sans conscience. Prisonnière. *Envoûtée*, voyez ici, c'est ce que j'ai écrit par la suite, après son départ.

« Je lui ai mentionné aussi qu'une femme, qui avait beaucoup de classe, d'impeccables manières et une apparence très soignée, férue de littérature ou issue du milieu de l'enseignement ou des lettres, représentée par ce 3, ici – on l'appelle l'Impératrice dans le tarot –, jouerait un rôle crucial dans sa vie. J'espérais, et je le lui ai répété, que cette personne lui vienne en aide, la guide en quelque sorte, car elle en avait grandement besoin.

— Pardon de vous interrompre, mais... cette femme, ça ne pouvait pas être vous, par hasard ?

— MOI ! ? Dieu du ciel, quelle drôle d'idée, mais jamais en cent ans ! Ai-je l'air ou ai-je la chanson d'une... d'une reine à votre avis ?

— Pas vraiment, non, concéda l'enquêteure, en souriant.

— Ah, quand même, soupira Marie, soulagée. Si je devais être quelque chose pour quelqu'un d'autre, ce serait la Papesse, représentée par le nombre 2. Bref, je ne saurais vous dire pourquoi, habituellement, je ne m'attarde pas à un nombre à connotation neutre comme le 3, mais là, je n'arrivais à pas me détacher de l'image et de la présence de cette Impératrice !

— Est-ce que je pourrais voir la carte du tarot qui correspond à ce nombre ? »

De la part d'une policière, la demande aurait été, en d'autres temps, fort surprenante, voire surréaliste. Mais, après ce qui venait de se produire avec le Pendu, Marie n'en fut pas étonnée.

« La voici ! »

Madeleine tint la carte dans ses mains et la fixa très sérieusement. Elle parut déçue, et esquissa même une drôle de moue enfantine qui fit sourire Marie. L'enquêteure s'était attendue à plus, de toute évidence.

« Elle ne dégage rien de particulier, commenta-t-elle. Rien d'excitant ou d'inspirant, en tout cas ! Elle semble distinguée, intelligente, intellectuelle, mais tout de même un peu hautaine, ou lointaine, comme si elle savait tout et n'avait plus rien à apprendre ou à craindre... non ?

— Eh bien, c'est proche de la symbolique générale de cette image, mais il demeure qu'on doit l'interpréter en tenant compte de l'ensemble dans lequel elle apparaît. J'ai pensé à une personne dans son milieu de travail, ce qui me paraissait logique, car le 3 touche l'enseignement et aussi la littérature, et je lui ai demandé si cela lui rappelait quelqu'un en particulier et... et...

— Et quoi ? Continuez, Marie, vous m'intriguez.

— Eh bien, pour être franche, elle a eu une réaction bizarre. Inattendue pour le moins. Elle est devenue soudain très mal à l'aise, et même gênée. Pour ne pas dire... embarrassée ! Alors qu'elle ne l'avait aucunement été en me parlant de son amant, peu avant. Je l'ai sentie se retrancher, être sur la défensive, et cela, sans aucune raison précise. Elle a simplement balbutié, en évitant mon regard, que non, pour le moment, elle ne voyait pas qui cette personne pouvait être. Et j'ai senti, j'ai compris, mais de façon inexplicable, qu'elle savait pertinemment de qui je parlais. »

Il y eut un temps de flottement étrange dans la petite pièce, un temps où la mémoire s'installe un nid dans les esprits, pour mieux y revenir un jour. Les deux femmes se fixaient sans se voir, unies dans une seule quête, traversant à leur insu le même monde parallèle.

« Si je n'ai jamais, mais au grand jamais, rien craint pour Fleury, j'ai eu peur pour madame Després, pour sa santé physique, et aussi sa santé mentale, car ses nombres étaient extrêmement puissants, à la fois très forts et très fragiles, avoua Marie, la voix tremblante d'émotion. Voyez cette série juste là : 12-15-18, tous d'une extrême tension. Une très mauvaise série, si les conditions de vie sont défavorables dans leur ensemble, bien évidemment. Et elles l'étaient pour Annie. Aujourd'hui, vous venez me dire que cette femme a disparu. Je suis très inquiète, car, dans son cas, il est possible et même très probable qu'elle se soit enlevé la vie après avoir appris la mort de Fleury. En effet, comme je vous l'ai mentionné tantôt, le nombre le plus proche du suicide, le 12, se trouve dans sa zone active.

— La mort de Fleury, venez-vous de dire spontanément. Qu'est-ce qui vous fait penser qu'il puisse s'agir de lui précisément ? S'est-elle confiée à vous en termes clairs à ce propos ? Et... comment se fait-il qu'Annie possède aussi ce 18 ?

— J'utilise la numérologie à 22 nombres. Par conséquent, dans les multiples calculs, ils reviennent tous forcément tôt ou tard, commenta Marie laconiquement. Désormais, reprit-elle avec fougue, cela ne fait plus aucun doute dans mon esprit: Fleury était l'amant d'Annie. L'idée m'avait déjà effleurée alors même qu'elle me le décrivait! s'écria-t-elle avec emphase. Sans compter que tantôt, dès que vous avez mentionné le nom de Fleury, n'ai-je pas automatiquement suivi avec celui d'Annie ? Tout semble concorder...

« Annie m'a confié, oui, avoir une relation tumultueuse avec un homme marié. Il avait deux enfants, mais adultes et autonomes, et vivant hors région, si mon souvenir est bon. Et vous avez parlé d'un un fils et d'une fille tout à l'heure, qui résident à l'extérieur. Il était plus âgé qu'elle d'une dizaine d'années. Ce qui est le cas ici, il avait 57 ans et elle 47. Cet homme semblait n'avoir aucun problème financier et il était connu de beaucoup de monde de par sa profession, ce qui correspond au profil d'un propriétaire d'agence immobilière, non ? C'est pourquoi il prenait d'infinies précautions quand il venait la voir, a-t-elle dit. Elle l'a décrit comme *très beau, très charismatique*, et *très... vivant*, ce sont ses mots. Et, pour l'avoir côtoyé, c'est ce qu'était Michel Fleury, à n'en pas douter ! »

Madeleine ne put s'empêcher de commenter :

« Que c'est étrange ! J'ai pensé exactement à ces mots en découvrant le corps de Fleury. Comment pouvait-on mettre fin à ses jours en étant si *beau*, si *charismatique* ?

— J'aurais aussi eu cette réaction, croyez-moi ! Annie était follement amoureuse de cet homme, reprit Marie, plus convaincue que jamais. Elle se sentait hypnotisée par lui, sous son emprise, très dépendante affectivement de lui, mais en dépit des promesses non tenues, des mensonges, des retards, en dépit du bon sens, elle voulait toujours croire en lui, lui faire confiance. Je me souviens qu'elle m'a demandé si c'était possible d'être "envoûtée", car c'est ce qu'elle ressentait. Jamais ne s'était-elle sentie si malléable, si girouette au vent, si inconstante. Elle en perdait le sommeil, l'appétit et jusqu'au goût de vivre ! Elle pleurait souvent, et cela pendant des heures. Elle revenait d'ailleurs souvent sur ces mots : *"Je perds le contrôle de ma vie. J'ai peur de ce que je suis devenue."*

« Je lui ai tout de même suggéré de consulter un professionnel, car elle se trouvait dans un état de grande vulnérabilité ; les signes avant-coureurs d'une dépression semblaient en place. Elle m'a dit que c'était déjà fait, ce qui m'a un peu rassurée. Je vous le jure, Madeleine : bien qu'elle n'ait jamais mentionné de nom, quand elle me l'a décrit, j'ai fait un rapprochement avec Fleury, que j'avais reçu en mai, et cette seule pensée m'a donné des sueurs froides. Et je me souviens de lui avoir alors demandé si quelqu'un m'avait recommandée à elle. Elle m'a parlé d'une amie, une certaine... Julie ou Pauline, qui travaillait avec elle et qui était venue me voir en janvier dernier. Je n'ai jamais vérifié, mais je peux le faire si vous voulez. À tout le moins, ce n'était pas lui. C'était juste un hasard, ou plutôt une de ces coïncidences significatives de la vie.

— Non, c'est correct. Je me chargerai des vérifications, Marie. Continuez...

— Je n'ai pas creusé davantage. Je n'avais aucune raison de le faire. Il ne m'appartenait pas de lui dire qu'un personnage conforme à sa description était venu me voir le mois d'avant, et encore moins, advenant que ce soit bien lui, de lui dévoiler à elle ses réelles intentions ! Je respecte le sceau de la confidentialité et du secret professionnel, vous savez. Je me suis contentée de lui conseiller d'être prudente, d'être forte, de chercher de l'aide et de mettre impérativement de l'ordre dans ses relations. TOUTES ses relations, sans exception... Ah, ça me revient ! Elle a désiré me donner la date de naissance de son amant, mais j'ai refusé. Si la personne dont je vois les nombres n'est pas consentante ou n'en sait rien, je m'y oppose. Ce serait une sorte de voyeurisme à mon avis. Elle voulait que je découvre s'il allait quitter sa conjointe pour elle, s'il pouvait devenir meilleur et ce que l'avenir leur réservait, ensemble. Elle a semblé très déçue, et même frustrée de mon refus.

« Si j'avais su, Dieu du ciel, j'aurais accepté ! se désola Marie, retournée par l'extraordinaire de la situation, et ce n'est pas peu dire pour cette femme aguerrie à l'extraordinaire. Nous serions alors sûres qu'il s'agit bien de Fleury, n'est-ce pas ?

— Oui, évidemment, ce serait là une confirmation qu'il était bien son amant. Mais tout porte à croire qu'il pouvait l'être en effet, admit Madeleine plus pour elle-même que pour son interlocutrice. Il me revient d'en faire la preuve, pas vous. Le monde est si petit, finalement, Marie. Bon, je pense que ce sera assez pour aujourd'hui, j'ai plutôt abusé de votre temps. Et il y a sur cet enregistrement matière à très longue réflexion. Vous m'avez été d'une grande utilité. Est-ce que je peux vous rappeler si j'ai des questions ?

— Oui, bien sûr, répondit Marie évasivement, en se levant pour raccompagner l'enquêteure. Ou venir me voir, si vous préférez. »

C'est là qu'elle avait mentionné à Madeleine Bonneau la correspondance de leurs initiales. En refermant la porte derrière la policière, Marie s'y adossa un instant. Elle eut l'impression d'avoir soudain mis le pied dans un drôle d'engrenage. Un engrenage *extraordinaire* dans lequel Madeleine Bonneau, elle, se sentait en pays... ordinaire.

En prenant place au volant, Bonneau repensa aux dernières paroles de Marie :

« ... Nos métiers ne sont pas si différents dans le fond, nous cherchons toutes deux à découvrir la vérité. Et nous sommes parfaitement disposées à prendre les moyens disponibles pour y parvenir. Vous œuvrez dans le monde tangible, visible, réel, connu, et moi dans l'autre. Il y a toujours deux expressions pour chaque entité, chaque chose, chaque situation, chaque être, tout ce qui constitue l'univers : le yin et le yang. Il s'agit de complémentarités, non de dualités. Disons que je suis du yin, et vous du yang. M. B. : ces initiales dans les agendas de vos deux victimes, celles qui vous ont conduite jusqu'à moi, s'appliquent **aussi à votre nom**, y aviez-vous songé ? La vie ne laisse rien au hasard, vous l'avez dit vous-même, et c'est tellement vrai puisqu'elle n'est qu'intention... »

Madeleine Bonneau était loin de se douter que l'enregistrement qu'elle venait de réaliser avec Marie Bouchard contenait plusieurs clés de l'énigme Fleury-Després. Le seul hic est qu'elles étaient codées en quelque sorte. Codées dans un langage symbolique, vieux de plusieurs siècles.

« On dirait bien qu'une autre M. B. ne sera pas de trop pour résoudre cette affaire Fleury-Després ! » soupira-t-elle en démarrant sa voiture.

Une découverte macabre

Prouver que Després et Fleury avaient été amants s'avéra un jeu d'enfant pour l'enquêteure Bonneau.

En face de l'appartement d'Annie vivait au premier étage une dame à la retraite répondant au nom de mademoiselle A. Côté. A pour Anastasie, d'après le registre de l'état civil. *« Je préfère juste A. Côté. Vous comprenez, les gens défigurent sans cesse les noms, à tort et à travers, et ils m'appellent souvent Anesthésie, n'est-ce pas épouvantable ? »* se faisait-elle un point d'honneur de souligner.

En juillet, lors de la disparition d'Annie, deux policiers avaient déjà interrogé cette dame plutôt loquace. Elle n'avait alors fait aucune mention d'un possible amoureux ; mais il est vrai qu'on ne l'avait, à cette période, nullement questionnée sur le sujet. Ainsi, Bonneau se rendit directement chez elle. Vieille fille endurcie, plutôt acariâtre et revêche, en quelque sorte « anesthésiée » à toute extravagance et à toute spontanéité, A. n'attirait pas particulièrement la sympathie de ses pairs. Misanthrope et peureuse, mademoiselle Côté était aussi très *senteuse* (elle avait vraiment le nez fourré partout), sûrement par manque d'activités, de loisirs, de compagnie ou parce qu'elle était en mal de reconnaissance sociale ou d'attention. Mais ce genre de personnage, plus ou moins repoussant, peut souvent s'avérer un témoin intéressant aux yeux de la police ! Comme quoi tout est relatif dans la vie !

« J'espère vraiment pouvoir vous être utile cette fois, madame *Bonniot* ! »

Madeleine fut à deux doigts de lui faire remarquer qu'elle aussi défigurait les noms qui sortaient de l'ordinaire, mais l'ayant pressentie comme hautement susceptible, elle s'en abstint de peur de s'en faire d'emblée une ennemie.

A. Côté incarnait à merveille celle qui voit la paille dans l'œil du voisin et non la poutre dans le sien !

La dame certifia avoir effectivement vu maintes fois (c'est-à-dire *plusieurs fois pendant les jours de semaine, quelques fois le samedi matin, mais très rarement le soir, et jamais le dimanche*) un très bel homme sonner à la porte de l'appartement d'Annie, lequel donnait sur le rez-de-chaussée de l'immeuble juste en face. Mademoiselle Després répondait presque aussitôt, voire souvent au moment même où il sonnait. Il entrait rapidement, *un peu comme un voleur, si vous voyez ce que je veux dire*, pour ressortir plusieurs heures plus tard. Tous les rideaux et les stores étaient tirés peu après son arrivée, et rouverts en grand après son départ. Ce qui ne pouvait qu'augurer une *intimité certaine*, non ? Ce manège durait depuis plusieurs mois. Presque une année. L'inconnu arrivait toujours à pied. En fait, le *monsieur de très belle allure* stationnait sa grosse voiture de luxe dans le parking d'une pharmacie non loin de l'appartement – non, la marque, ça, elle ne pouvait dire, juste que *le char était gros et noir, et coûtait probablement très cher*. Elle le savait pour l'avoir aperçu quelques fois alors qu'elle sortait du commerce en question et que lui retournait à son auto, y montait et démarrait, ni vu ni connu, et apparemment sans être remarqué par quiconque sauf elle-même.

Une seule fois au printemps, en mars, il était arrivé avec un joli emballage cadeau, sans doute pour un anniversaire. Probablement celui d'Annie. Autrement, il transportait souvent avec lui un sac de la SAQ, qui contenait une ou plusieurs bouteilles de vin ou d'alcool. La voisine reconnut sans l'ombre d'un doute ou d'une hésitation le bel inconnu sur les quelques photos de Fleury que l'enquêteure lui présenta. Elle avait encore *de très bons yeux, vous savez!* – mais les jumelles qui trônaient sur le rebord de la fenêtre y étaient sans doute pour beaucoup, de noter Madeleine lors de l'interrogatoire.

Fort heureusement pour Bonneau, le « témoin » ne fit pas de lien entre cet inconnu et celui qui s'était enlevé la vie dans sa maison au bord du lac Saint-Jean deux mois auparavant, soit en juillet dernier : le célèbre homme d'affaires, Michel Fleury. La raison étant que les suicides sont beaucoup moins médiatisés que les meurtres. Et à juste titre. Néanmoins, A. Côté demanda, mine de rien, si cet inconnu pouvait être en lien avec la disparition d'Annie.

« Il est trop tôt pour affirmer quoi que ce soit, madame Côté. Nous continuons à rechercher toutes les personnes susceptibles de nous aider dans cette enquête », se contenta de répondre l'enquêteure qui jugea bon de ne pas en dire davantage, puisque A. Côté n'était vraisemblablement pas au courant de la mort de cet *inconnu*.

Quoique fière comme un paon de pouvoir rendre service à la police, A. Côté se désola de ne pas avoir pu les aider quelques mois auparavant, quand la belle Annie était partie sans crier gare et que deux policiers en civil s'étaient présentés à sa porte pour l'interroger.

Qu'est-ce qui avait bien pu arriver à cette pauvre, pauvre enfant ? Elle ne cessait d'y penser, jour et nuit. Ne pouvait-elle en savoir juste un peu plus sur l'affaire, histoire de se sentir rassurée ? Elle en faisait des cauchemars presque chaque nuit. Si c'était arrivé devant chez elle, ça pouvait fort bien survenir chez elle, non ? Comment se faisait-il qu'elle n'ait remarqué aucune présence policière accrue depuis juillet ? S'il était question d'un rôdeur, d'un voleur ou pire, elle n'osait même pas y penser, d'un violeur, celui-ci n'avait qu'une rue à traverser pour la trouver, elle ! Ne vivait-on pas dans un monde de terreur ? N'avait-elle pas raison, A. Côté, de se cloîtrer et de s'enfermer à double tour ?...

Bonneau, qui avait patiemment écouté ses doléances, pour ensuite la rassurer de son mieux, admit seulement qu'il semblait plutôt s'agir d'une affaire très privée et que, pour cette raison, le besoin de surveillance accrue dans le secteur ne se faisait pas sentir. Plus ou moins convaincue, et surtout déçue de ne pouvoir en apprendre davantage, A. Côté ne comprenait toujours pas comment il se faisait qu'elle n'ait pas vu partir sa gentille voisine en juillet. Elle s'en souviendrait, puisqu'Annie aurait eu une valise, non ? *On ne part pas en vacances, en congé ou en escapade sans valise ou sans un sac de voyage, si petit soit-il ! Annie avait dû prendre un taxi pour se rendre à l'arrêt d'autobus de très bonne heure le matin ou elle avait eu un « lift » : c'était la seule explication plausible !* L'unique détail que mademoiselle Côté pouvait réaffirmer à cent pour cent est que le *char de mademoiselle Després* n'avait jamais bougé du parking, car les deux femmes utilisaient le même stationnement, conjoint aux deux immeubles locatifs. Et, par un drôle d'*adon*, leurs espaces réservés se trouvaient côte à côte ! A. Côté pouvait jurer sur la bible que la voiture d'Annie n'avait pas bougé d'un poil toute cette semaine-là !...

Peu après la confirmation de la relation extraconjugale de Fleury avec Després, les événements s'accélérèrent.

Un ornithologue amateur qui faisait de l'observation tôt le matin sur les berges du Saguenay, plus précisément aux battures de Saint-Fulgence, en aval de la rivière, à une quarantaine de kilomètres d'Alma, découvrit un corps sans vie. On l'identifia rapidement comme étant celui d'Annie Després. Cette découverte macabre eut pourtant lieu par un beau samedi tout en couleur et en lumière comme seul octobre peut en dispenser, le 5, plus précisément. Plus d'une semaine avait passé depuis, puisqu'on était le lundi 14 octobre. Bonneau, qui se préparait à se rendre à un rendez-vous important qu'elle attendait depuis longtemps, avait encore du mal à se remettre de la tournure tragique des événements. L'histoire se répétait : un autre suicide qui laissait derrière lui son lot d'incompréhension et de questions sans réponse...

La famille d'Annie Després vivait un enfer, mais pouvait au moins entamer son deuil. Après deux longs mois d'attente, de doutes, d'inquiétudes, de tourments, de nuits d'insomnie, sans aucune nouvelle, tous s'attendaient au pire, bien évidemment, mais comme personne n'est vraiment jamais préparé au pire, une douleur sans nom, accentuée par la culpabilité, ravageait leurs cœurs.

Après être resté, dans un premier temps, prisonnier au fond de l'eau, le corps d'Annie s'était, selon toute vraisemblance, déplacé au fond sur une longue distance, et cela pendant plusieurs semaines. Une fois seulement le processus de décomposition commencé, lequel déclenche des gaz qui allègent la masse corporelle, le faisant ainsi flotter, le corps avait fini par remonter à la surface...

Aucun chauffeur d'autobus ne se souvenait d'avoir transporté Annie Després en juillet, aux jours présumés de son départ pour les Cantons-de-l'Est ou Charlevoix. Aucun guichetier ne se rappelait lui avoir vendu de billets pour l'une ou l'autre de ces destinations. Tout avait été scruté à la loupe : les hôtels de ces deux régions, les gîtes, les lieux de relaxation ou de villégiature. Rien. Aucune femme enregistrée à son nom ou répondant à son signalement. Et aucun appel provenant du domicile d'Annie ne figurait sur les registres des entreprises de taxis. Elle était sûrement partie sans bagages lourds. Peut-être juste un sac à main ou un sac à dos, lequel n'avait pas été retrouvé à ce jour. Mais quand exactement ? S'était-elle jetée à l'eau du pont d'Alma, dans la Grande Décharge, là où débute la rivière Saguenay ? Auquel cas, elle aurait pu s'y rendre à pied... Peut-être l'y avait-on... poussée ? Le jeudi soir même ou plus tard dans la nuit ? Ou le vendredi soir ? Le samedi soir ? Que de questions sans l'ombre d'une réponse !

Preuve avait été faite qu'au moment de sa disparition, sa voiture était restée stationnée dans son espace privé. Donc, si elle prévoyait se rendre en un lieu éloigné, quelqu'un l'avait obligatoirement ramassée chez elle. À moins qu'on ne lui ait donné rendez-vous près de son domicile. Mais qui ? Fleury ? ...

Toutes les personnes du quartier, ses voisins, les marchands, ses connaissances familiales, amicales et sociales avaient été interrogés pendant l'été. Ils étaient tous formels : personne ne l'avait vue, seule ou accompagnée, en ce jeudi fatidique de juillet, pas plus que les jours suivants. Par la suite, plusieurs ratissages infructueux avaient été effectués avec l'aide de nombreux bénévoles. Les fiches signalé-tiques la concernant, passées en boucle tant à la télé, dans les journaux que sur le site de la Sûreté du Québec, n'avaient déclenché aucun appel, comme si cette femme n'avait jamais existé! La dernière personne à l'avoir vue vivante était Fleury, le mercredi après-midi. La dernière à lui avoir parlé au téléphone était Monique, sa sœur, le soir de ce même jour...

Dans les poches de l'imperméable d'Annie, lacéré ici et là par les branches ou les détritus du fond de la rivière, on avait retrouvé des pierres. Cela signifiait qu'elle voulait être certaine de caler au fond, et le plus vite possible. Mais l'in-tention pouvait s'appliquer tout autant à un possible meur-trier! Aucun mot, aucun message, ni sur elle ni dans son appartement, n'expliquait son geste désespéré. Ses proches soutenaient qu'elle avait toujours eu une peur panique de l'eau : *elle en avait une réelle phobie,* selon eux. Elle ne se baignait jamais, ne sachant pas nager. Ce qui était une in-vraisemblance pour la famille devint une évidence aux yeux des enquêteurs : ce *modus operandi* particulier assurait qu'Annie Després était sûre de vite mourir noyée. De même, un assassin la connaissant intimement aurait également pu utiliser cette faiblesse...

L'eau froide de la rivière et les vêtements qu'Annie por-tait avaient atténué la dégradation et la décomposition des tissus corporels, permettant ainsi une autopsie concluante. Celle-ci n'avait révélé sur le corps aucune marque suspecte (comme un coup violent asséné par un objet contondant ou une strangulation) autre que des traumatismes mineurs post mortem : des chocs contre des pierres ou des heurts causés par des branches au fond de l'eau, le courant de la rivière Saguenay étant fort à cette période. En revanche, une investigation toxicologique avait indiqué une intoxication (anormale) aux antidépresseurs, très puissants en l'occurrence, lesquels avaient toutefois été prescrits quelques mois auparavant par son médecin traitant. Annie portait encore au cou une chaîne en or d'une dizaine de carats, estimée à quelques centaines de dollars. Étonnamment, une bague de pacotille, probablement achetée dans le Sud lors d'un voyage au soleil, ornait son annulaire gauche.

D'après le coroner du Laboratoire des sciences judiciaires et des médecines légales de Montréal, la mort remontait à la fin juillet ou au début d'août. Il avait conclu au suicide.

La funeste prédiction de Marie Bouchard s'était réalisée.

Claire Tanguay

En ce lundi 14 octobre, la main droite de Claire Tanguay trembla légèrement en reposant le combiné. Un soupir de frustration faillit s'échapper de ses lèvres pincées.

Même s'il s'agissait d'une deuxième contrariété de suite, elle se retint d'exprimer son irritation d'une quelconque manière. Le premier désagrément provenait des centaines de feuilles mouillées et défraîchies qui jonchaient la pelouse. Telles de vilaines taches de rousseur, elles défiguraient son terrain, et cela, depuis plusieurs jours et encore pour d'autres à venir! Son jardinier avait une bronchite. Il était cloué au lit, souffrant, incapable de dire quand il pourrait revenir. *Mais dans combien de jours?* Il n'avait pas été fichu de lui avancer une date, ce qui ajoutait grandement à son agacement. Pas question d'engager un inconnu, comme il le lui avait suggéré (même si cette personne s'avérait être son cousin ou son beau-frère), et encore moins qu'elle fasse ce sale boulot elle-même. Dieu qu'elle détestait se retrouver à la merci de l'Imprévu avec un grand I, du désorganisé, bref de tous les maudits aléas de la vie.

De toute façon, Claire Tanguay ne s'était jamais occupée d'entretenir une cour, qu'elle soit petite ou immense comme la sienne. Elle n'avait donc aucune idée de la façon dont on s'y prenait. Claire n'avait pas le pouce vert, et encore moins d'envies vertes de quelque nature que ce soit. Les mains et les ongles noirs de terre : non merci ! Elle laissait ça à d'autres. Depuis trente-cinq ans qu'ils habitaient cette demeure, ils avaient toujours eu un jardinier. Elle n'envisageait pas une seconde qu'il puisse en être autrement. Si son mari avait délaissé la charge du dehors, c'était davantage par manque de temps que par manque d'attirance. Il avait choisi de consacrer le peu de temps libre dont il disposait à sa passion : l'ébénisterie.

Hier, et encore maintenant, c'était l'état désolant de sa belle cour enlaidie par les vents violents de la veille (et l'obligation d'attendre après le jardinier pour la remettre en ordre) qui l'avaient grandement contrariée et, ce matin, cet appel téléphonique !

Après le tragique événement, les multiples formalités administratives et légales qui avaient suivi (Dieu sait si elles étaient nombreuses et lourdes dans le cas des morts par suicide, mais fort heureusement le plus gros était derrière elle), ainsi que les devoirs religieux et contraintes sociales de toutes sortes, la vie, SA vie, coulait désormais tel un long fleuve tranquille depuis quelques semaines. Une vie sans surprises, encore plus prévisible que la météo, parce que minutée, gérée, organisée à la seconde près. Elle s'y complaisait, s'y vautrait autant qu'un libertin dans la débauche. Claire avait toujours eu horreur des surprises, de l'inconnu, des bouleversements. Incluant le fameux « pétillant » de Michel, qui avait souvent ce mot à la bouche pour tout et pour rien. Elle avait donc opté pour une vie rondement menée, parfaitement aseptisée, au sens propre comme au figuré, sans émotions troublantes, sans colère, sans rancœur, sans attentes, sans honte, sans heurts. Sans frein à ronger. Sans bruit.

Sans drame. Sans folies, sans extravagances. Sans couleurs. Une vie qui, si elle devait avoir un goût, serait assurément le contraire de... pétillant ! Par conséquent, le moindre imprévu, si insignifiant fût-il, devenait un véritable accroc dans la trame méticuleusement tressée de routines et d'habitudes rassurantes de son quotidien, un quotidien désormais rempli de sa seule personne !

Claire se força au calme ; elle prit deux ou trois profondes respirations, et replaça ses cheveux fins et raides derrière les oreilles. Ce tic répété des dizaines de fois par jour lui fit retrouver son assurance et sa confiance. Dieu merci, depuis la mort de Michel, elle avait appris à mieux contrôler un tas de choses : son tempérament d'abord, son caractère ensuite, puis son temps, sa solitude, ses loisirs, ses finances, sa maison.

Son regard aussi perçant que celui d'un oiseau de proie se posa tout autour d'elle. Ce regard d'une extraordinaire acuité aurait été en mesure de découvrir la moindre poussière qui aurait osé se déposer par mégarde sur un meuble ou sur le plancher, pour la réduire aussitôt à néant, telle une proie vulnérable. Il aurait détecté quasi instantanément, à la manière d'un rayon laser, le plus petit objet déplacé, le cadre ou bibelot de travers, un faux pli sur un rideau ou une jetée, et, plus encore, un livre qui n'aurait pas respecté le parfait ordre alphabétique qui régnait sur les nombreuses étagères de l'immense bibliothèque qui masquait un mur entier du grand salon.

Or, cette extrême propreté, cet ordre impeccable qu'elle maintenait autour d'elle la comblaient d'aise et l'enveloppaient tel un cocon protecteur. Rien de mal, rien de *malpropre* ne pouvait lui arriver dans un tel environnement, c'était chez elle une conviction inébranlable. En se retournant pour se rendre à la cuisine, son reflet dans le miroir mural du corridor lui convint, et lui rappela combien elle avait raison de ne croire et de ne se fier qu'à elle-même. Elle trouverait les mots justes, elle n'aurait qu'à s'inspirer des livres sur les tablettes.

Les produits de nettoyage n'avaient plus aucun secret pour les mains de Claire Tanguay, toujours protégées de gants en caoutchouc, et il en était de même des mots pour son esprit. Claire Tanguay lisait, et lisait encore, et cela depuis plus de quarante années : c'était son unique passe-temps, après le ménage évidemment. Elle avait acquis l'art des tournures de phrases parfaites. Tel un sommelier expérimenté, elle choisissait avec soin les mots appropriés et surtout le ton de voix qui s'y mariait : détaché, intimiste, assuré, familier, indigné, plaisantin, insistant... Claire savait quoi dire et comment le dire, en tout temps et toutes circonstances. Ce n'est pas pour autant que l'écriture l'aurait intéressée. Elle était consciente de ses limites : le talent ou le don d'écrire, celui de créer à partir de zéro n'en faisaient pas partie.

Ah, que n'avait-elle trouvé dans ces milliers de pages !

Du réconfort, du merveilleux, de l'évasion, du beau, du presque parfait ; un univers parallèle où *son double* pouvait évoluer – elle aimait à penser à cette autre facette de sa personnalité en ces termes – bien à l'abri du désordre et des saletés du monde. Elle y avait bien sûr découvert des mots, des phrases, des chapitres parfaitement ordonnés, structurés, organisés autour d'une brillante idée maîtresse, convergeant magistralement vers une fin, heureuse ou triste. Elle y avait déniché pour elle-même et sa vie quotidienne beaucoup d'informations géniales et, contre toute attente, la solution à ses problèmes !

Claire Tanguay avait eu 60 ans la semaine précédente. Veuve à 60 ans : qui eût pu prévoir une telle chose ?

Ses enfants avaient insisté pour venir la voir afin de souligner l'événement. Elle avait refusé, arguant que son deuil était trop récent, que ce serait indécent de faire la fête, ou même de sourire, et qu'elle tenait à se rendre dans cette magnifique auberge de La Malbaie, seule, qu'elle et leur père avaient réservée déjà depuis quelques mois. Elle s'y ressourcerait et s'y reposerait. Ils n'avaient pas insisté, sachant depuis leur enfance qu'un non signifiait NON, point à la ligne. Contrairement à leur père, girouette au vent, qui changeait d'avis à tout instant : les non qui devenaient aussitôt des peut-être, et si vite des oui pour Michel Fleury...

Leur garçon, Sébastien, le cadet, téléphonait souvent et se montrait attentionné envers elle depuis la mort de Michel, mais c'était uniquement parce que sa sœur le poussait à réagir, *à faire enfin un fils de lui*, comme elle disait. De lui-même, il n'aurait pas appelé aussi régulièrement, et encore moins insisté pour venir à la maison. À peine s'il se serait souvenu de son anniversaire, il l'avait oublié tant de fois dans le passé. Il avait quitté jeune le nid familial, forgeant un peu partout de par le vaste monde de solides relations amicales et sociales. Cela avait contribué à le rendre de plus en plus indépendant, et indifférent, quant au sort de ses parents et de sa sœur.

Il en allait tout autrement pour Rébecca. L'aînée avait vraiment eu le tour avec son père. C'est du moins ce que Michel arguait quand Claire lui conseillait de ne pas se plier à toutes les volontés de Rébecca : « *Ma fille sait y faire avec*

moi, que veux-tu, tu me connais, Claire, j'abdique facile-
ment devant le sexe faible. » Ils avaient une relation privilégiée. Un lien vraiment spécial, unique, ils partageaient une
complicité hors du commun, à un tel point que Claire en
avait été souvent jalouse. Mais ça, c'était avant. Cela appartenait au passé : mort et enterré.

Rébecca donc, plus que quiconque, souffrait atrocement
du *départ* de son père. Elle refusait catégoriquement les
mots *mort* et *suicide*. Un déni complet. Son père était juste
parti. Quand se déciderait-elle à grandir ? À devenir ma-
ture ? se demandait la mère. Il serait plus que temps, avec
deux jeunes enfants ! Rébecca ne comprenait ni n'admettait
ce geste définitif, défaitiste et surtout très *laid* que son père
chéri et adulé avait posé, tant il jurait avec le beau, l'optimiste, le charismatique Michel Fleury ! C'était aussi insensé
et impossible de sa part de s'enlever la vie qu'au soleil de se
lever soudain à l'ouest ou qu'à une chrysalide de se transformer en oiseau ! Elle se sentait extrêmement coupable de
n'avoir rien vu ; comment aurait-elle pu prévoir ou deviner ? La semaine précédant la tragédie, ils travaillaient encore
ensemble dans l'atelier, buvant quelques bières, s'obstinant
avec beaucoup d'humour à propos de tout et de rien, Jim
Croce en sourdine sous une avalanche de rires, de taquine-
ries et de bavardages anodins. Et voilà que, quelques jours
après, dans cet antre familier où elle tenait une place privilégiée auprès de lui, il posait ce geste insensé, atroce, fatal.
Pourquoi ? Elle était, et pour cause, complètement dépassée
par la situation, remplie d'une amertume indescriptible, et
aussi d'une colère violente et dévorante. Comment avait-il
pu l'abandonner de cette horrible et dégradante façon ? Hantée jour et nuit par des milliers de pourquoi, par d'horribles
visions de son père pendu à une corde dans leur repaire en-

84

chanteur soudainement transformé en enfer, elle ne parvenait plus à reprendre le fil de sa vie, à s'intéresser à son mari ou même à ses enfants. Blessée, meurtrie, dépressive (son médecin l'avait mise en arrêt de travail pour plusieurs mois), Rébecca se repliait dangereusement sur elle-même et laissait à sa belle-famille le soin de sa maisonnée. Elle refusait obstinément de faire ne serait-ce qu'un premier pas vers le deuil de son père.

Chaque fois que mère et fille se parlaient au téléphone, ça finissait par des larmes, des sanglots, des hoquets, des non-dits insupportables du genre: « *Comment ça se fait que t'as rien vu venir, maman, toi qui vois le moindre grain de poussière partout, maudit? C'est toi après tout qui vivais tous les jours avec lui!* » Ou bien des paroles blessantes: « *T'es égoïste, maman, de vouloir faire ton deuil toute seule, on est là encore, nous autres; c'est comme si on comptait plus du tout pour toi!* »

C'était terrible, et exigeant, et comme les deux femmes n'avaient jamais été proches dans le passé, Claire se sentait incapable de l'aider. Rébecca avait perdu un père, et elle, un conjoint: le deuil n'était donc pas le même à traverser! Lors de leur dernier entretien houleux, Claire lui avait conseillé de chercher un psychiatre compétent, et sa fille, excédée, en pleurs, au bord de la crise de panique, avait raccroché abruptement.

En vérité, pour ses 60 ans, Claire Tanguay était restée chez elle, tout simplement.

Elle appréciait tellement sa solitude et son confort statique, et tout le temps qu'elle pouvait désormais consacrer à la lecture, que le fait de devoir faire la conversation avec ses enfants, de supporter du bruit, de voir les petits-enfants courir partout en chamboulant tout sur leur passage la terrorisait. Elle n'était prête ni à fêter ni à voir ou recevoir du monde, voilà tout. Peut-être ne le serait-elle plus jamais.

Le carillon de la porte d'entrée se fit entendre alors qu'elle tenait un livre dans ses mains, sans en avoir lu une seule ligne. Il lui fallait éviter ces vagabondages de l'esprit qui ne la menaient nulle part. Sa fille avait 33 ans, elle avait un mari pour prendre soin d'elle après tout! Et sa belle-famille vivait à proximité. Rébecca finirait par accepter, avec le temps. Tout s'accepte, même l'inacceptable.

Claire fit le vide dans sa tête. Aucune angoisse ne l'étreignait, peut-être juste un soupçon de nervosité. Lentement, elle se leva, prit soin de replacer le livre (l'un de ses romans préférés, elle l'avait lu trois ou quatre fois déjà) sur son étagère, à son emplacement exact, dans les T pour Tolstoï, puis elle se dirigea vers la porte d'entrée pour aller répondre.

« Ah, c'est vous, bonjour! Pile à l'heure! J'apprécie la ponctualité. Entrez, je vous prie... madame...? Oh! Comme c'est bête, je ne me rappelle pas votre nom! Nous ne nous sommes vues qu'une seule fois, et dans des circonstances si... si pénibles.

— Bonneau, Madeleine Bonneau. Il n'y a pas de faute, voyons. Bonjour, madame Tanguay. Comment allez-vous? s'informa la policière, avec une empathie sincère.

— Ah, on fait aller, vous savez. Ce n'est pas tous les jours rose. Mais le temps guérit tout, dit-on. Je m'arme de patience chaque matin. Ce serait plus agréable sans cette pluie froide et ces vents fous, non? Et toutes ces feuilles dans ma cour! Ne passez pas de remarques, s'il vous plaît, mon homme à tout faire est cloué au lit et je n'ai jamais... moi-même... vous comprenez, j'espère? Parle, parle, jase, jase, et je vous laisse à l'entrée! Excusez-moi! Par ici, madame Bonneau, nous allons nous installer au salon, nous y serons plus à l'aise. Je suis tout de même curieuse de savoir ce qui vous amène après toutes ces semaines. Vous désirez boire quelque chose ?

— Pourquoi pas ? Un peu d'eau pétillante, si vous en avez ? »

Le sourire avenant de Claire s'évapora. L'enquêteure se demanda bien pour quelle raison son visage s'était si soudainement fermé. Peut-être son hôtesse aurait-elle préféré un *non merci* comme réponse ?

« Hum... non, désolée. Je... je n'en bois pas. Un verre d'eau... ordinaire, alors ?

— Ça ira très bien, oui, merci. »

En temps normal, Bonneau n'était pas femme à tiquer sur le vocabulaire d'autrui. Or, elle se surprit à penser qu'on disait de *l'eau plate* ou de *l'eau du robinet* et non de *l'eau ordinaire*. Mado nota également que, cette fois, nonobstant leur première rencontre, Claire Tanguay lui rappelait quelqu'un de familier, de connu.

L'enquêteure n'était pas du tout assoiffée, mais ravie de cette excuse qui lui permettrait de jeter autour d'elle un coup d'œil averti, sans la présence de la veuve. L'habitude du métier.

Un regard circulaire suffit pour lui donner l'impression que la pièce était encore plus propre qu'à sa dernière visite. Qui plus est, d'une propreté maladive, stérile. Difficile de croire que cette luxueuse et imposante demeure était habitée, tant chaque objet semblait figé, immuablement, définitivement à sa place. La remarque pouvait tout aussi bien s'appliquer à la maîtresse des lieux...

Madame Tanguay mesurait environ un mètre cinquante tout au plus, et devait peser dans les quarante, quarante-cinq kilos. Elle avait conservé son allure d'adolescente ! Elle portait des vêtements impeccables, griffés, qui avaient l'air tout neufs, pas du tout froissés : chemisier de lin blanc à manches longues, camisole en dentelle en dessous, pantalon noir. Souliers en cuir noir, fermés, à talons plats. Chercher à se grandir, ne serait-ce qu'un tant soit peu, ne semblait pas une priorité chez elle ! Absolument aucun bijou (Mado avait eu le temps de noter qu'elle avait retiré son alliance) ne parait ses oreilles, son cou ou encore ses mains aux ongles courts et parfaitement manucurés. Pas de maquillage, même pas un léger rouge à lèvres qui aurait pu mettre en valeur sa petite bouche. Ses cheveux fins d'un beau gris cendré uniforme, impeccablement tirés derrière les oreilles, descendaient sur ses épaules. Les boucles naturelles (celles du mois de juillet dernier) avaient été patiemment domptées au fer. La frange sur son front aurait gagné à être un peu plus longue, ce qui aurait pu adoucir son visage ou lui donner un certain genre...

Le constat de Bonneau fut sans appel : contrairement à Marie Bouchard, madame Tanguay, quoique plutôt jolie et d'allure générale plus que convenable, l'air jeune et surtout distingué, dégageait peu de chaleur humaine, et encore moins de *sex-appeal*. Tout en elle paraissait raide, c'est le mot qui lui venait à l'esprit. Difficile donc de penser que cette femme puisse être habitée d'émotions, de sentiments, de désirs charnels ou même d'instincts. Force lui était d'admettre qu'il était inutile de persister à l'imaginer en tant que suspecte potentielle !

Bonneau avait parié avec un collègue qu'un panneau À VENDRE serait affiché sur la pelouse, mais à son plus grand étonnement, tel n'était pas le cas. Elle venait de perdre bêtement cinq dollars. *Comment peut-on vouloir rester dans la maison où son mari s'est donné la mort ?* ne put-elle s'empêcher de se questionner en prenant place sur le moelleux sofa de cuir véritable.

« J'essaierai de ne pas prendre trop de votre temps, madame Tanguay. Et je vous remercie de me recevoir, dit-elle en matière d'ouverture, une fois la veuve installée en face d'elle. Hum... Il y a eu de nouveaux développements. Une autre affaire en cours semble impliquer votre mari, et...

— Je ne vous suis pas, là ! s'étonna Claire, d'un ton à la fois courtois et contrarié. Que voulez-vous dire ? Mon mari est mort, comment pourrait-il être impliqué dans quoi que ce soit ?

— Je vais y venir dans quelques secondes. Il y a certains faits que nous devons d'abord éclaircir ensemble. »

Après cette entrée en matière, Madeleine ouvrit sa mallette et sortit la photo d'une femme.

« Connaissez-vous cette personne, madame Tanguay ? »

Claire regarda minutieusement la photographie et certifia aussitôt :

« Non, pas du tout. Je ne la connais pas. Vraiment, ce visage ne me dit rien, désolée, assura-t-elle en remettant le cliché à l'enquêteure avec un sourire poli. Une très belle femme, soit dit en passant. »

Bonneau tint compte de son aplomb et de son assurance. Aucune défaillance, ni dans le geste, ni dans le timbre de la voix, ni dans le regard.

« Vous êtes certaine ? Vous n'avez jamais vu, aperçu ou croisé cette personne ? Cherchez bien, prenez votre temps, lui demanda-t-elle de nouveau en lui remettant la photo sous le nez.

— ... Ma foi... Hum... comme vous insistez... Attendez... on dirait... peut-être bien que... mais où est-ce que je l'ai vue il n'y a pas si longtemps ? (Elle parut chercher dans sa mémoire.) Une minute, s'il vous plaît, je reviens. »

Elle se leva lentement et passa dans une autre pièce. Elle revint presque aussitôt, avec un journal en main.

« Ce ne serait pas... la... la même personne ? » questionna-t-elle en montrant à Bonneau la une du quotidien.

Surprise, l'enquêteure lui fit remarquer que le journal datait d'une bonne huitaine.

« Je l'ai conservé pour les *Mots croisés géants*, expliqua Claire. Je n'ai pas encore eu le temps de m'y mettre. Mais si, c'est elle, non ? Juste les cheveux qui semblent coiffés différemment. Une quadragénaire célibataire qui avait disparu cet été sans laisser de traces et dont on a retrouvé le corps en fin de semaine dernière... Euh... samedi, le 5 octobre, c'est écrit juste ici...

— En effet, c'est bien elle : Annie Després.

— Mais cela ne change rien à ma première réponse, madame Bonneau, je ne la connais ou devrais-je dire désormais : je ne l'ai pas connue personnellement de son vivant. Je ne lui ai jamais parlé. Et pourquoi me poser, à moi, une telle question ?

— Vous auriez pu, madame, car votre mari, enfin, feu votre mari, la connaissait très bien, lui !

— Ah, mais c'est fort possible, ça ! Et même très probable. Vous savez, madame Bonneau, mon époux connaissait beaucoup plus de gens que moi, rétorqua Claire. J'ai quitté mon métier d'infirmière très tôt après notre mariage. Michel était plutôt vieux jeu à sa façon : pour lui, une épouse devait rester à la maison pour élever les enfants convenablement, et il tenait à tous nous faire vivre. Il me répétait souvent que *reine du foyer* était le plus beau titre qu'une femme puisse briguer. Avant, oui, mais certainement moins

90

de nos jours! Avec son agence immobilière, ses nombreux employés et toutes ses relations d'affaires, il en connaissait du monde, croyez-moi!

— Quand je dis "très bien", je veux dire intimement, lâcha l'enquêteure sans ambages. Annie Després était la maîtresse de votre mari, madame Tanguay. »

Le visage de la veuve vira au vert-de-gris, perdant du coup toute superbe! Elle ouvrit la bouche, mais aucun son n'en sortit. Ses yeux d'un bleu très pâle devinrent fixes, son corps immobile. Un instant, Bonneau pensa au film *Le choc des Titans* qu'elle avait regardé la veille (n'ayant trouvé rien de mieux à se mettre sous les yeux) lorsque la Méduse, d'un simple regard, foudroie les héros mâles, les transformant en statues de pierre. L'effet de ses paroles venait de procurer un résultat comparable chez madame Tanguay! Après quelques secondes d'un silence glacial et insoutenable, Claire sortit de son mutisme avec fracas.

« ... Quoi? Que dites-vous? Mais... vous perdez la tête? C'est ridicule, insensé. Qui a pu vous raconter une chose pareille?... Ah, des jaloux, sûrement. Des envieux. Michel était un très bel homme, vous savez. Charismatique, intelligent, sûr de lui et confiant. Il avait un succès fou dans tout ce qu'il entreprenait. TOUT. La réussite lui chatouillait sans cesse le bout des doigts. Il avait des mains en OR, ça, c'est garanti! Ce qui fait que tout ce qu'il touchait se transformait en or! Il était carrément béni des dieux. Il suscitait donc beaucoup de jalousies et d'envies. Ce ne sont que des racontars, des vilenies, voyons! C'est vrai, mon mari paraissait avoir des problèmes avant son... son suicide, je vous en ai parlé, il me semble, il était... différent, lointain, comme inquiet. Il couvait sûrement une dépression. Il avait probablement des soucis d'ordre professionnel ou pécuniaire importants, mais... me tromper, lui, je n'en crois rien, c'est impossible.

— Inutile de rentrer dans les détails pour le moment, mais nous avons la preuve formelle, je dis bien **formelle**, hélas, qu'il était l'amant de cette dame depuis... plusieurs mois. »

Il y eut encore un lourd silence ; le temps sembla se figer comme dans l'attente avant l'orage, quand les nuages noirs et menaçants s'avancent lentement, oppressant les esprits en faisant craindre le pire. Madame Tanguay demeurait atone, les yeux écarquillés de stupeur et d'incrédulité pendant que Madeleine hochait tristement la tête en signe de confirmation. La veuve éclata alors en sanglots déchirants qui heurtèrent le silence, qui entachèrent la perfection et la beauté du décor. On aurait dit que des coups de tonnerre lui foudroyaient le cœur. Madeleine se demanda si elle avait bien fait de lui rendre visite.

« Mais... mais... admettons... admettons... reprit Claire avec difficulté, je n'ai pas de raison de douter de vous, n'est-ce pas ? Vous êtes policière après tout, enquêteure, oui, et j'imagine que vous ne mentez pas, que vous ne pouvez pas mentir, mais... pourquoi venir me faire part de cela, MAINTENANT ? Pourquoi ? À quoi ça peut me servir DE SAVOIR ÇA puisqu'il est mort, il est MORT ! Pour me torturer ? Vous... C'est odieux ! » vociféra-t-elle, soudain très hargneuse, prise de rage et de dégoût.

Cette réaction violente étonna Bonneau. Elle aurait supposé que ce genre de femme se... comment dire... se contiendrait dans l'expression de ses émotions. Or, c'était le contraire ! Elle avait passé d'un extrême à l'autre en quelques secondes à peine : de glaciale à brûlante, de sensible à super émotive, d'ange à harpie. Elle ne semblait pas apte à gérer ses émotions aussi bien que sa maison : était-ce là un trait de bipolarité ? Mais il est vrai qu'elle venait de traverser une dure épreuve, et Bonneau crut bon de se le rappeler afin de ne pas porter de jugement hâtif.

La veuve hoquetait tant qu'elle semblait sur le point de suffoquer ou de faire une crise de panique ! Madeleine n'avait aucune envie que madame Tanguay succombe à un infarctus ou souffre d'un grave malaise à cause d'elle. Elle se leva donc promptement pour aller lui chercher un verre d'eau à la cuisine.

Ma parole, cette femme ne fait jamais à manger ! songea-t-elle à la vue de la cuisinière impeccable, comme neuve, de l'inox étincelant de l'évier et des robinets, du frigo, du comptoir et des armoires d'un blanc éclatant en dépit de leur âge ! Cet état de propreté maniaque avait quelque chose de vraiment dérangeant. Comme si le froid que cette atmosphère stérile dégageait vous atteignait l'âme de plein fouet. Vous glaçait le sang. Vous excluait instantanément du lieu, tel un puissant virus. Était-ce ainsi du temps du disparu ? Comment supportait-il cet environnement ? En se réfugiant dans les bras de femmes chaudes et lascives ? En s'évadant dans son atelier ? Mal à l'aise, elle revint au salon en toute hâte.

« Buvez, buvez un peu d'eau. Calmez-vous, calmez-vous, je vous en prie. Prenez de grandes respirations. Là, là...

— Je... Excusez-moi, je ne sais plus où j'en suis. Vous réveillez de terribles émotions, mais il faut me dire pourquoi... Ohhh, ohhh... non, non. Ce n'est pas possible ! NON !

— Qu'est-ce qui n'est pas possible, madame Tanguay ? questionna gentiment Madeleine qui préférait laisser parler la veuve.

— Vous... la police. Vous croyez que mon mari aurait quelque chose à voir avec... avec la... la disparition de cette femme ? réussit-elle à bégayer entre deux sanglots.

— Eh bien, pour le moment, l'enquête a démontré ceci : sans pouvoir mettre de jour exact sur la disparition d'Annie Després, ses proches ont rapporté son absence inquiétante aux alentours de la date du décès de votre mari. Elle se trouvait en vacances chez elle lorsqu'elle a prévenu sa sœur Monique qu'elle quitterait la région le jeudi 25 juillet, pour revenir le mardi suivant, donc le 30. Elle a spécifié n'emporter aucun cellulaire ni ordinateur avec elle. Elle voulait avoir la paix, être injoignable. Ce n'était pas la première fois qu'elle agissait de la sorte. Elle hésitait encore sur sa destination, Charlevoix ou les Cantons-de-l'Est. Elle a seulement mentionné qu'elle avait besoin de se retrouver seule dans un lieu reposant, pour faire le point pendant quelques jours.

« Monique a commencé à s'inquiéter seulement le jeudi de la semaine suivante, soit le 1er août. Quand elle s'est rendue chez Annie, le mardi soir, tout avait l'air normal. La voiture d'Annie était bien stationnée dans sa place de parking. Pourtant, la porte de son appartement était verrouillée. Peut-être était-elle juste allée faire des emplettes ? Étrangement, son cellulaire était toujours en mode messagerie. Monique a laissé passer le mercredi puis, inquiète, ne trouvant aucune trace d'elle nulle part, n'arrivant pas à la joindre, elle a commencé à s'alarmer. C'est le lendemain qu'elle a alerté les autorités policières. Votre mari... Michel Fleury a rendu visite à Annie Després le mercredi 24 juillet, dans l'après-midi. D'après un témoin oculaire qui habite en face, il y est resté plusieurs heures, jusqu'à 19 h. En vérité, madame Tanguay, il semble être le dernier à l'avoir vue vivante. La dernière à lui avoir parlé au téléphone étant sa sœur, le soir de ce même jour.

« Votre mari s'est donné la mort, d'après l'autopsie, dans la nuit du dimanche au lundi, entre 1 h et 2 h du matin, le 29 juillet donc.

— Je... je ne comprends rien. Je suis perdue. On dit, enfin on a écrit dans le journal que cette femme se serait vraisemblablement suicidée, est-ce exact ? Oui ? Vous... Pensez-vous qu'elle se soit enlevé la vie par... par amour ? À cause de lui, de Michel ? Parce qu'il s'est lui-même donné la mort ? Lui aurait-il dit que c'était fini entre eux, justement ce mercredi-là, et elle aurait refusé d'accepter cette rupture ?... Ohhh... Croyez-vous... Non, non, pas lui aussi.

— ... lui aussi, quoi ? Madame Tanguay ?

— J'étais persuadée qu'il avait de sérieux problèmes au travail ou des problèmes d'ordre financier, mais qu'il refusait de m'inquiéter outre mesure en m'en parlant. Il a toujours désiré me *préserver*, c'était son expression. Dans les deux ou trois semaines précédant son suicide, il lui est arrivé de me demander un ou deux anxiolytiques que je prends moi-même, sur ordonnance, en période de stress. Ou encore des somnifères, car il avait un sommeil agité ou souffrait carrément d'insomnie. Ça ne lui ressemblait pas, mais pas du tout ! Il paraissait dépressif. Il buvait, aussi, plus que de coutume, mais je vous ai dit tout ça, il me semble, non ? Ce dimanche soir-là, je l'ai bien entendu se relever, mais je n'en ai pas fait plus de cas qu'à l'ordinaire. Ça lui arrivait, en cas d'insomnie, d'aller *bretter* dans son atelier, c'était son expression, ça le remettait d'aplomb, qu'il disait. L'odeur du bois, la musique en sourdine... Tout ça... Ça le rendait plus *zen*.

« Est-ce que j'aurais fait fausse route ? Ses problèmes n'étaient-ils pas plutôt d'ordre... affectif ? En était-il amoureux au point... au point... »

Madeleine se tut et attendit la suite.

« ... au point de ne pas ou plus pouvoir vivre sans elle ? Peut-être a-t-il eu le courage de lui dire que tout était fini, mais que, par la suite, il l'a terriblement regretté ? Qu'il se soit senti lâche vis-à-vis d'elle ? Tout ça est... tout ça paraît invraisemblable. J'ai peine à y croire ! Et pourtant, ça expliquerait tant de choses. »

Et elle se remit à pleurer. Plus doucement, cette fois.

« Ce serait donc là la véritable cause de sa mort, il se serait suicidé, car il était à la fois incapable de vivre sans elle et de me laisser pour elle. J'ai déjà lu, il me semble, que les hommes ont beaucoup plus de difficulté à gérer leurs émotions que nous, les femmes. Ça se peut bien, finalement. »

Madame Tanguay venait de soulever l'hypothèse avancée, et surtout privilégiée, par plusieurs enquêteurs affectés à l'affaire. Elle était parvenue aux mêmes conclusions. Mais c'était loin d'être l'avis ou plutôt le « *feeling* » de Bonneau, et on allait incessamment fermer le dossier !

Et si Fleury avait assassiné sa maîtresse en faisant croire à un suicide ? avait lancé l'enquêteure, semant le trouble chez ses confrères. *Ensuite, devant l'atrocité de son geste, pris de remords et s'imaginant inculpé pour meurtre avec toutes les désastreuses et honteuses conséquences pour lui et sa famille, il décide de s'enlever la vie...* Elle avait semé de sérieux doutes dans les esprits, sauf qu'il était trop tard pour prouver quoi que ce soit.

Le DPC (jargon policier pour Dernier Point Connu) correspondait à la conversation téléphonique qu'Annie avait eue avec sa sœur le mercredi soir 24 juillet, entre 20 h 30 et 21 h 30. Le DPV (pour Dernier Point Vu) remontait à Michel Fleury, reconnu comme ayant été le dernier à l'avoir vue vivante, le mercredi 24 juillet. Un témoin l'avait vu arriver à l'appartement d'Annie vers 13 h pour repartir vers 19 h. Sans faire de lui un meurtrier pour autant, cela confirmait bel et bien qu'ils avaient encore une liaison à cette période. Peu importait si Fleury avait quitté Annie Després ce jour-là et qu'elle ait mis fin à ses jours pour cette raison par la suite, ou qu'elle se soit suicidée à la suite du décès de Fleury, ou que l'hypothèse de Bonneau tienne la route : Fleury était mort et avait définitivement emporté son secret (et toutes preuves éventuelles) avec lui.

Les conclusions probables des enquêteurs laissaient Bonneau avec des doutes, des incertitudes, un mal-être inexplicable qui persistait, lequel s'était accentué avec les révélations de Marie Bouchard, en septembre, et ravivé avec la découverte du corps sans vie d'Annie Després, le 5 octobre. *Féminité obligeait-elle ?* La question était légitime, car, très souvent, intuition, ressentis, sentiments, primant parfois sur le reste, la stimulaient et la guidaient lors d'une enquête. Elle enviait ses collègues masculins : ils suivaient un peu leur instinct, certes, mais se concentraient davantage sur la recherche de preuves matérielles, de témoins à charge, de recoupements, et cetera.

Madeleine savait qu'elle ne devait pas se fier à l'avis de cette « drôle de femme », Marie Bouchard, mais elle pouvait peut-être en tenir compte... un tout petit peu ? Marie ne considérait pas, mais pas du tout, Fleury comme un candidat au suicide. Mais Annie, si.

En septembre, Marie Bouchard avait fait preuve d'une assurance désarmante en disant *craindre le pire* pour Annie. N'avait-elle pas prononcé ces mots : « *Je suis très inquiète, car, dans son cas, il est possible et même très probable qu'elle se soit suicidée après avoir appris la mort de Fleury.* » Pourtant, Annie Després n'était alors que portée disparue ! Il y avait une possibilité que Mado n'avait pas envisagée avec Marie lors de leur entretien : Fleury pouvait-il être un meurtrier ? Il est vrai que la question n'était alors pas d'actualité. Elle se promit de recontacter la numérologue à ce propos, quelle que soit l'issue officielle qui clorait les deux dossiers. Histoire de connaître son opinion...

À force de persuasion, Bonneau avait tout de même réussi à obtenir l'autorisation de son supérieur d'aller annoncer à la veuve le lien qui unissait la femme retrouvée noyée à Michel Fleury. « *Question d'empathie*, avait-elle souligné. *Pour éviter qu'elle l'apprenne par des journalistes avides de sensationnalisme.* » C'était en grande partie la vérité, mais Bonneau était curieuse et intriguée par Claire Tanguay depuis le début. Elle voulait la revoir et connaître sa réaction. Son patron avait accepté d'entériner l'initiative, sans se douter que son enquêteure principale avait également une autre idée en tête.

L'hypothèse privilégiée demeurait la suivante, celle à laquelle Claire Tanguay avait abouti : Fleury, incapable de franchir le pas, avait rompu définitivement avec Annie Després. Le regrettant amèrement, se sentant lâche, il s'était enlevé la vie par amour pour elle, et cette dernière, ne pouvant vivre sans lui, refusant la mort de son amant, avait aussi choisi de mettre fin à ses jours. Une histoire d'amour épique digne des plus grandes tragédies amoureuses d'antan. Qui eût cru cela possible de nos jours ?

L'enquêteure, qui laissait le temps s'égrener pour que la veuve récupère, décida de suivre son instinct. Pourquoi faire marche arrière maintenant ? Il était bien sûr hors de question de dévoiler à Claire Tanguay sa propre idée sur l'affaire, laquelle ne figurait nulle part officiellement : que son mari, Michel Fleury, était peut-être un assassin avant d'être un suicidé. C'était tout à fait possible, puisque personne ne pouvait certifier du jour exact de la disparition d'Annie Després. Entre le 23 et le 31 juillet, la quadragénaire célibataire s'était évaporée. Fleury s'était enlevé la vie le 29 juillet. Il aurait eu amplement le temps de la tuer avant le 29, et de déguiser son meurtre en suicide. Après tout, cette encombrante et harassante maîtresse ne menaçait-elle pas tout son petit monde d'effondrement ? Le mobile était de taille : crime passionnel. On tuait souvent pour moins que ça...

Elle se dit que son chef, Jean-Guy Pronovost, récemment promu de par son talent exceptionnel à résoudre des affaires compliquées, ne serait sûrement pas très heureux de la démarche qu'elle était sur le point d'entreprendre. Mais il fallait absolument qu'elle le fasse. Elle satisferait sa curiosité, et lui n'en saurait probablement jamais rien.

« Je suis tellement navrée, madame Tanguay. Sincèrement désolée. Mais nous pensions qu'il était préférable que vous l'appreniez par nous plutôt que par les journalistes. J'ignore comment ils s'y prennent parfois, mais ils arrivent à en découvrir beaucoup en interrogeant les gens. Souvent davantage que nous ! Avant de vous quitter, j'aurais... toutefois... une dernière requête.

— Allez-y, au point où nous en sommes ! philosopha la veuve, stoïque et droite.

— J'aimerais retourner jeter un coup d'œil dans l'atelier, si vous n'y voyez pas d'inconvénients.

— Dieu du ciel, mais pourquoi faire ? » ne put s'empêcher de s'écrier madame Tanguay, fort surprise.

« *Les policiers ne peuvent pas mentir.* » Ces paroles ob-
nubilaient Bonneau qui s'apprêtait à contourner ou à affaiblir cet adage. À tel point qu'elle eut soudain des chaleurs
et se demanda si du rouge ne lui montait pas aux joues.
C'était sûrement la ménopause. Elle déglutit. Ne devait-elle
pas, avec beaucoup de naturel et de sincérité dans la voix,
réciter un discours longuement préparé? Il était trop tard
pour faire marche arrière.

« La famille de madame Després, ses parents très âgés
surtout, ont du mal à accepter que leur cadette se soit suicidée. Jamais, ont-ils insisté, ils n'auraient cru qu'elle puisse
un jour en venir à une telle extrémité. Selon eux, en dépit
de cette *mauvaise passe* qu'elle semblait avoir, elle n'avait
pas le profil. Mais, on le sait désormais, les proches ne dé-
tectent pas nécessairement les symptômes du suicide... Bref,
je ne vous apprends rien, hélas. Annie était une femme réservée, on ne lui connaissait pas d'amie de fille de longue
date, et elle protégeait mordicus sa vie intime. Sa famille
était au courant de la relation qu'elle entretenait avec un
"homme déjà engagé", sans toutefois savoir de qui il s'agissait. Ce qui, par contre, n'est plus le cas aujourd'hui. Ses
proches, et c'est légitime il me semble, voudraient être en
mesure d'entamer leur deuil et souhaiteraient donc obtenir
des réponses ou des explications, histoire de mieux comprendre ce qui l'a poussée à se donner la mort. Un grand
sentiment de culpabilité les ronge, et c'est souvent le cas de
ceux qui restent, enfin, je crois. Ils se questionnent. A-t-il mis
fin à leur idylle provoquant pour elle ce dénouement fatal?
L'aimait-il sincèrement? Ou, au contraire, profitait-il d'elle?
Voulait-il vraiment refaire sa vie avec elle, comme elle le
prétendait? La rendait-il au moins heureuse? S'est-elle sui-

cidée après sa mort à lui ? S'est-il enlevé la vie par lâcheté ou par amour ? Ce genre d'interrogations...

— Je ne vois pas où vous voulez en venir. Désolée. Qu'est-ce que le fait de revoir l'atelier vient faire là-dedans ? s'étonna à juste titre la veuve, qui semblait incapable de saisir le raisonnement de l'enquêteure Bonneau.

— Je m'explique. Nous avons la preuve que le cellulaire d'Annie ne comportait aucun appel entrant ou sortant aux différents numéros de votre mari. Contre toute attente, son adresse courriel ne figurait même pas dans son agenda électronique ! Donc aucun échange de courriels ou de textos entre eux. Nous pensons que, pour fixer leurs rendez-vous, il la contactait à partir d'une cabine ou d'un téléphone à cartes rechargeables, auquel cas nous ne pouvons retracer d'appels. Vous m'avez dit, en juillet, lors de notre premier échange, que l'atelier était l'*antre* de votre époux, je m'en souviens, c'est le mot que vous avez employé. Cette pièce de la maison lui appartenait en propre, vous y mettiez rarement les pieds. Vous ne deviez jamais y faire le ménage : il avait été très clair à ce propos. C'est bien ça ? ... Oui. En connaissant aujourd'hui le vrai motif du suicide de votre mari, peut-être pourrions-nous découvrir – je ne sais pas, moi – une ou des lettres manuscrites ou des copies de messages minutieusement cachées, un journal intime et des photos dissimulés auxquels nous n'aurions pas prêté attention au début, lesquels expliqueraient ou confirmeraient sans aucun doute le lien très puissant qui unissait... pardon, enfin... vous voyez ?

— Ah... oui, en effet. Je comprends mieux où vous voulez en venir. Excusez-moi, je ne suis plus toute là ! J'oublie que je ne suis pas la seule à souffrir dans toute cette histoire !

Cette pauvre... pauvre jeune femme... si jolie... Quel âge avait-elle déjà ?

— Elle avait 47 ans.

— Seulement ? ! Alors, treize ans de moins que moi ?... Que c'est triste et désolant ! Pour ses proches, surtout. Vous aviez cherché une lettre d'explications ou d'adieu de Michel, je m'en souviens, mais vous n'avez rien trouvé en juillet, ni moi non plus, et j'ai fouillé partout ailleurs dans la maison sans succès. Euh... j'ai fait installer un cadenas sur la porte de l'atelier qui ne fermait pas à clé. J'ai bien pensé à donner tous les outils de Michel à ses frères. Il faisait vraiment de jolis meubles, toutes sortes de choses, vous savez... Il était si doué pour tout ! C'en était renversant... Il avait un instinct si sûr pour les affaires... Il était extrêmement passionné... Il avait un bon sens de l'humour... Dylan restait son chanteur préféré... C'est lui qui a fait les étagères de la bibliothèque du salon, vous savez... »

La veuve sautait soudain du coq à l'âne, heureuse de se remémorer des bribes d'un passé récent, et Mado n'osa pas l'interrompre. Elle avait tout son temps. Un passé aux teintes colorées qui rendait la voix de Claire plus douce, plus harmonieuse.

« ... Mais je ne m'y suis pas résignée. À donner les outils, je veux dire. Je ne suis jamais retournée dans l'atelier depuis juillet et ne compte pas y mettre les pieds de sitôt. Vous devrez donc y aller seule, madame Bonneau, sans moi. Je vais chercher la clé, attendez-moi quelques instants. »

Heureusement, elle n'avait pas songé à l'éventualité que son mari ait pu assassiner sa maîtresse. Ce genre de pensée chaotique était trop loin de son monde si bien organisé. *Ouf, c'est mieux ainsi,* songea l'enquêteure. *Elle aurait alors sûrement refusé ma demande, et avec raison !*

Bonneau se leva pour se dégourdir les jambes, histoire de chasser son stress, mais plus encore ses remords. Après tout, madame Tanguay avait consenti à sa requête, elle n'avait donc pas besoin d'un mandat. Elle s'approcha de la bibliothèque imposante qui occupait tout un mur de la pièce. En fait, on ne voyait qu'elle dans le salon tant elle était magistrale. Le fond était lambrissé de planchettes de pin de trois pouces, teintes de façon à rappeler l'acajou. Chaque étagère, de hauteur variable, était faite de planches en pin jointé de douze pouces environ, et chacune d'elles était agrémentée d'une jolie moulure décorative du même bois. Les multiples séparations verticales l'étaient également, ce qui donnait à l'ensemble un aspect à la fois solide et fluide. Il était facile de reconnaître, même pour une néophyte en ébénisterie, le magnifique ouvrage réalisé par Fleury. Un travail d'artiste. Étrangement, elle se dit qu'un homme qui savait faire de si belles choses avec ses mains devait être un fabuleux amant. Passé maître dans l'art sublime des caresses. L'un allait bien avec l'autre, à son avis.

Était-ce possible que Claire Tanguay ait lu tous ces livres, en majorité des romans, mais aussi des ouvrages sur nombre de sujets divers ? Il y en avait des centaines ! Probable, tout compte fait, puisqu'elle avait passé la plupart de son temps à la maison, et cela, depuis des années. Les bouquins étaient tous bien rangés, en parfait état (là encore comme s'ils étaient neufs et n'avaient jamais servi)... sauf un !

Étrange qu'il ait échappé au cerbère, pensa-t-elle, sourire en coin.

Le roman de Tolstoï était bien en ordre alphabétique, mais il se retrouvait à l'envers. Elle le tira vers elle pour le replacer à l'endroit. Ce faisant, elle nota le titre : *Anna*

Karénine. Lequel lui rappelait vaguement quelque chose... Oui, elle l'avait déjà lu, il y avait très longtemps, au collège, mais se souvenait peu de l'intrigue. Elle retourna le livre et lut sur la quatrième de couverture quelques bribes du résumé :

« *Anna, en proie aux plus vifs tourments (...) met fin à sa vie (...).* »

Madeleine Bonneau se sentit soudain en plein courant d'air glacial, et elle frissonna en remettant le livre à l'endroit.

L'aigue-marine

L'enquêteure connaissait le chemin.

Sa mémoire des lieux, probablement parce qu'elle les visitait la plupart du temps dans des circonstances dramatiques, lui faisait rarement défaut. La main droite sur la rampe d'escalier, elle descendit lentement les marches, en se réprimandant encore de son audace. Ce trait de caractère finirait par lui coûter cher. Sûrement son métier, un jour ou l'autre. En attendant, même si l'adrénaline faisait battre son cœur à cent à l'heure, cette témérité lui avait souvent servi à résoudre des enquêtes.

Jamais les parents d'Annie Després n'avaient fait une telle requête, bien entendu. N'empêche qu'elle avait dit vrai en grande partie : la famille entière d'Annie demeurait sous le choc. À l'instar de l'entourage de Fleury, personne ne parvenait à y croire ni ne comprenait son geste...

Madeleine revit tout particulièrement la fille de Michel, comment s'appelait-elle déjà ? Son prénom lui échappait. Elle l'avait remarquée aux funérailles. Impossible pour quiconque de faire autrement. Depuis, Mado jurait à qui voulait l'entendre que jamais, de toute sa carrière, elle n'avait rencontré personne plus affectée par un décès :

« Et Dieu seul sait à combien de funérailles j'ai dû assister ! »

La jeune femme, qui devait avoir dans la mi-trentaine, semblait absolument effarée, contrairement à sa mère, Claire Tanguay, qui était restée digne et stoïque. Son visage était boursouflé à force de pleurer et de se moucher. Elle vacillait, chancelait dangereusement comme si le vide d'un abîme sans fond l'attirait de façon morbide. Plus rien ni personne ne semblait la retenir au monde des vivants. Ses pleurs, ses reniflements, ses sanglots convulsifs se répercutaient sinistrement dans l'église plutôt silencieuse, même si elle était remplie à craquer. Le manque de sommeil, les cernes bleuâtres sous ses yeux hagards lui donnaient l'air d'un zombie. Un sentiment extrême d'abandon suintait à travers ses larmes abondantes et une incompréhension totale striait ses yeux magnifiques, tels des éclairs de terreur absolue. Madeleine avait remarqué qu'elle restait en retrait de sa mère, et aussi de son frère. Elle ne les avait pas touchés ou embrassés de toute la cérémonie. Son compagnon, complètement dépassé par l'ampleur du désespoir qui accablait sa conjointe, tentait vainement de la calmer et de l'encourager. Il rassurait en même temps ses deux jeunes enfants, apeurés, quasi terrifiés de voir leur maman chérie dans un tel état. Mais elle le repoussait, comme si sa confiance en la gent masculine avait totalement disparu, et tenait les enfants à l'écart, de peur que son extrême mal-être ne déteigne sur eux. Mado avait eu l'impression que la fille de Fleury ne cesserait jamais de pleurer la mort de son père, qu'elle pleurerait des larmes de sang jusqu'à la fin de ses jours. Est-ce que sa mère lui parlerait d'Annie Després ? L'enquêteure en doutait fort...

Après tout, si elle devait découvrir quoi que ce soit qui puisse aider la famille Després à répondre à certaines questions, eh bien, tant mieux !

Mado convenait en son for intérieur qu'elle avait fait une légère entorse à la procédure étant donné que c'était elle, plus que quiconque, qui désirait connaître la vérité sur cette relation passionnelle et sur son dénouement. Après cette ultime visite dans l'atelier, allez savoir pourquoi, il lui semblait qu'elle pourrait plus facilement se ranger aux conclusions du bureau des enquêtes et clore ce fichu dossier.

Au fond du corridor se trouvait la salle de lavage à droite et l'atelier à gauche. Elle mit un pied dans la première et y jeta un coup d'œil, par curiosité. Le blanc surréaliste de la sécheuse et celui de la laveuse lui firent honte quelques instants : il s'était accumulé tellement de « minous » poussiéreux et grisâtres dans le filtre de son sèche-linge qu'elle en avait bousillé le moteur, lequel avait surchauffé et rendu l'âme. Le réparateur lui avait vraiment fait de gros yeux quand il était venu en dépannage la semaine dernière.

« Y'a pus rien à faire ma p'tite dame : *kaput,* vot' sécheuse ! Juste à cause de vot'... vot' négligence, mettons. »

En songeant qu'il lui faudrait bien se décider à aller magasiner un sèche-linge un de ces jours, elle imagina la mine horrifiée de madame Tanguay à la vue de son linge étendu un peu partout et n'importe comment pour sécher : une petite culotte sur une poignée de porte, un linge à vaisselle sur un abat-jour, une taie d'oreiller sur le dossier d'une chaise, une chemise de travail sur un cintre accroché à la patère de l'entrée...

Elle n'avait pas encore trouvé le temps. De plus, Mado aurait souhaité une présence masculine pour la conseiller. Ou même juste une amie pour l'accompagner. Elle n'avait pas de véritable amie, du moins aucune compagne sincère à qui l'on peut tout dire, avec qui l'on peut faire n'importe quoi, n'importe quand. Force lui était de constater que son statut d'enquêteure de police ne lui facilitait pas la tâche en ce sens. Alors qu'il n'y avait pas plus féminine qu'elle, portant maquillage, bijoux, vêtements coquets dans ses heures libres, que sa conversation était plaisante, son intelligence incontestable, son sens de l'humour raffiné, les autres femmes ne voyaient toujours en elle qu'une policière. Le fait qu'elle pratique, semblait-il, un métier trop différent des leurs, un métier d'homme, plein de dangers et de violence, la classait systématiquement dans une « race à part ». Assez bizarrement, la discrimination n'était jamais venue de ses collègues masculins !

Plus elle prenait de l'âge, plus l'amitié lui manquait. Elle se promit sur-le-champ de téléphoner à Marie Bouchard, cette femme si mystérieuse, histoire de mieux faire connaissance. Peut-être juste pour prendre un café dans un endroit neutre ? Ou faire une activité extérieure ? Elles étaient aux antipodes l'une de l'autre, mais les contraires ne s'attirent-ils pas ? Aux antipodes, peut-être pas tant que ça après tout. En vérité, ne faisaient-elles pas toutes deux des métiers hors du commun ? Cette petite femme originale lui avait plu. En tout cas, force était d'admettre que c'était grâce à elle que la police avait pu « relier » les deux affaires !

Mado restait devant la porte, à la fois indécise et déterminée. N'était-elle pas en train d'abuser de la confiance de la veuve ? Que pourrait-elle bien découvrir de plus qu'en juillet ? *Miss Pointilleuse* : ce surnom qu'elle eut l'impression d'entendre la détendit un peu. Ses collègues la taquinaient ainsi pour ne pas dire autre chose qui aurait pu la heurter. Comme eux, elle savait pertinemment que c'était plus que de l'entêtement puéril de sa part ou un souci du détail exagéré. Tous étaient conscients des raisons profondes qui la poussaient à chercher, à fouiner bien au-delà des normes habituelles d'une enquête. Ne se guérirait-elle jamais de la rage et de l'obstination qui l'habitaient quand elle mettait cet acharnement féroce à traquer les criminels ? Chaque enquête non résolue, ou qui laissait de sérieux doutes dans son esprit, rouvrait à vif une inguérissable blessure : ceux qui avaient tué son mari, et qu'on n'avait jamais, hélas, identifiés, remportaient une énième bataille et une autre parcelle de son cœur blessé...

« Assez, c'est assez. Il est trop tard pour faire marche arrière ! »

Chassant ses idées noires d'un frémissement du corps, elle inséra énergiquement la clé dans le cadenas qui s'ouvrit facilement.

L'antique porte en bois décapée, avec ses motifs ornementaux en forme d'arabesques, et parfaitement adaptée au cadre existant, grinça, lui rappelant les vieilles maisons remplies d'histoires. C'était plutôt inattendu, ce bruit ancien dans une habitation moderne, comme un premier soupir de vie réconfortant dans une demeure qui se mourait lentement ! Il faisait très sombre. En tâtant ici et là, l'enquêteure trouva l'interrupteur sur la gauche et les tubes fluorescents crépitèrent. Les stores étaient encore baissés, comme en juillet, madame Tanguay n'y avait pas touché.

Madeleine sortit de la poche intérieure de sa veste un paquet de photographies : celles qui avaient été prises par le technicien en scène de crime en juillet. Elle compara les différents angles de prises de vues, les emplacements, le décor avec ce qu'elle voyait deux mois après le suicide de Fleury. Au premier abord, rien ne semblait avoir bougé ou changé de place. Jusqu'au petit banc, sur lequel Fleury s'était installé pour se pendre à une poutre, qui était encore renversé, au même endroit. Finalement, seul le corps de Fleury manquait. La veuve avait donc dit vrai.

Il faisait chaud dans l'atelier. Bien qu'il fût situé au sous-sol, on n'y ressentait aucune humidité. Bonneau remarqua que le thermostat était réglé à 21 degrés. Claire Tanguay n'avait pas songé à le baisser. Bonneau retira sa veste et la posa sur un coin libre de l'établi. Elle fit un premier tour, lentement. Les étagères ainsi que l'établi foisonnaient d'outils de toutes sortes. Elle reconnut une toupie, des râpes, des sableuses, des rabots, différents tournevis et marteaux, du papier émeri, des serre-joints, de la colle, une équerre, un ruban à mesurer... Des pots en verre aux formats divers contenaient soit des teintures de toutes les couleurs, soit des clous de toutes les grandeurs. Les contenants bien fermés s'alignaient sagement, tels des enfants dans une classe. Il y avait aussi un gros coffret, muni de tiroirs individuels en plastique transparent, lesquels regorgeaient de couteaux, de ciseaux à sculpter et de fers à toupie pour différents travaux d'ornementation. Il ne semblait y avoir aucun ordre spécifique pour le rangement, juste un sympathique désordre personnel. Elle comprenait Fleury d'avoir refusé la présence du cerbère dans son antre. Leurs conceptions de l'ordre et du rangement se trouvaient aux antipodes l'une de l'autre.

La pièce était encore imprégnée du parfum du bois. Contre toute attente, l'atelier de Fleury respirait la vie! Et Bonneau ne s'y sentait en aucune façon opprimée. C'était paradoxal et déstabilisant de penser que le propriétaire des lieux, le maître de l'antre s'y était pourtant enlevé la vie. Surtout un homme de la trempe de Michel Fleury!

L'atelier, nota Bonneau, était muni d'un système perfectionné d'aspiration qui prenait sa source directement en dessous du banc de scie. Les poussières et copeaux de bois se retrouvaient donc prisonniers d'un bac assorti d'un sac filtrant, lequel était à moitié plein. Elle enfila des gants de latex, plus par habitude que par nécessité, puisqu'elle était là en « simple visiteuse ». Pendant plusieurs minutes, Madeleine ouvrit les tiroirs, fouilla chaque cavité, chaque interstice sans rien trouver d'autre que du matériel d'ébéniste. Sur l'établi trônait la pièce sur laquelle Fleury travaillait et qui ressemblait à un coffret, du genre où l'on rangerait des bijoux. Du moins, c'est l'impression que donnait l'ouvrage encore rudimentaire. La base mesurait environ huit pouces sur six sur une profondeur de trois pouces. À côté, le couvercle attendait qu'on s'occupe de lui puisqu'un petit ciseau à sculpter en forme de V gisait tout près. Elle laissa courir ses doigts sur le bois. Chêne ou frêne, elle aurait eu du mal à le dire. Il était doux, d'une douceur exceptionnelle. Personne ne le terminerait. Personne ne le verrait terminé. Dommage. Tant de talent envolé, disparu, anéanti. *Et qui aurait dû hériter de cette belle création ?* se questionna Bonneau. *Sa femme, sa maîtresse ou sa fille ?* Elle opta pour les deux dernières, puisque Claire Tanguay ne portait pas de bijoux.

Il n'y avait rien, rien de ce qu'elle espérait trouver dans cette pièce. Rien de plus que la première fois.

Elle avait cru au père Noël ou quoi ? Fleury n'était pas homme à exprimer ses émotions, toutes celles qui l'avaient connu intimement n'avaient eu cesse de le répéter. Il n'était pas homme à écrire des lettres d'amour ou à se laisser aller à des épanchements sentimentaux. En cela, les confidences d'Annie Després faites à Marie s'avéraient exactes. Il était encore moins homme à laisser derrière lui la moindre trace compromettante. Bonneau devait se rendre à l'évidence : il n'y avait eu aucun échange épistolaire entre Annie Després et lui.

Avant de quitter la pièce, sans trop s'apercevoir de ce qu'elle faisait (peut-être parce qu'elle se sentait mieux dans cet atelier que dans tout le reste de la maison), elle remit le petit banc de bois sur ses quatre larges pattes, et s'assit dessus. Il n'était qu'à un pied du sol.

Il semblait « personnalisé », fait main, et non manufacturé en série. Sûrement conçu et réalisé par Fleury l'ébéniste, songea-t-elle. Étrange de penser qu'un être puisse créer lui-même un accessoire qui fera, un jour, partie intégrante du décor de sa mort. Macabre... Brrr... Elle frissonna. Elle ferma les yeux et se concentra sur Fleury, sur Annie, puis sur sa propre relation passionnelle et houleuse avec un homme marié qui ressurgit, tel un geyser. Elle aussi, par moments, avait complètement perdu le nord à force d'être manipulée comme une marionnette ! Les émotions l'avaient submergée au point d'abandonner une large part du contrôle de sa vie. Elle se voyait, dans ses rêves nocturnes, toujours assise côté passager, et parfois sur le siège arrière. Pas besoin d'être psy pour en comprendre la signification...

Si Fleury s'était suicidé après avoir assassiné sa maîtresse, il avait emporté avec lui toutes les preuves. Advenant que Fleury se soit enlevé la vie le premier, cela signifiait qu'il était sûrement beaucoup plus amoureux d'Annie que Marie Bouchard ne le croyait. Après tout, elle le connaissait à peine et ne lui avait parlé qu'une seule fois. Une seule rencontre, si intimiste avait-elle pu être, demeure insuffisante pour connaître un individu. Et des nombres, si porteurs de symboles puissent-ils être, encore moins !

Fleury avait probablement rompu le mercredi 24 juillet et l'avait regretté amèrement les jours suivants. Trop faible émotionnellement, tout aussi incapable de se résoudre à vivre sans elle ou à se passer d'elle qu'il ne l'était à quitter sa femme, sa famille et à tout remettre en question pour sa maîtresse, il s'était enlevé la vie dans un moment d'absence totale, de désespoir, de noirceur ou, effectivement, de dépression. Et Annie avait suivi. Et bien que tous – sauf la veuve, mais somme toute n'était-ce pas elle qui le connaissait mieux que quiconque? – se soient accordés pour dire que c'était un geste inacceptable et incompréhensible de sa part, force était d'admettre, hélas, qu'il arrive souvent que les proches des suicidés ne voient absolument *rien venir*. On voit venir ce qui avance dans la lumière, et non ce qui reste sciemment et parfaitement caché de tous.

Elle ouvrit les yeux et revint à la réalité.

Assez tergiversé, ma belle! Elle se rangerait à l'avis de ses collègues, et le dossier, devenu l'affaire Fleury-Després, serait clos.

C'est alors que son regard remarqua quelque chose sur le plancher, juste à la droite de ses chaussures, quelque chose d'incongru qui, lui sembla-t-il, n'était pas là un instant plus tôt. Elle se pencha pour le ramasser. C'était un bijou, plus précisément un pendentif, très petit, certes, mais de toute beauté. Absolument renversant. Une aigue-marine taillée en forme de cœur et sertie dans une fine monture en or. Mado connaissait bien cette pierre, étant elle-même née en mars. Le pendentif était tombé d'une chaîne probablement, car l'anneau qui l'y retenait béait légèrement. *Il devait être sous le petit banc, c'est pourquoi il était demeuré caché à la vue*, se dit-elle. Elle l'approcha de la lumière pour mieux le contempler. Son bleu eau-de-mer intense la surprit, cette couleur spécifique étant signe de rareté. Tout petit bijou qu'il fût, il devait valoir une fortune !

Ouais... T'as pas de mandat, je te le rappelle, ma belle, se morigéna-t-elle. *Tu n'as pas le droit de conserver cet objet, pour quelque motif raisonnable que ce soit. De toute façon, t'as même pas de sachets plastiques...*

Elle vérifia de nouveau les clichés pris en juillet : aucune trace de cette aigue-marine par terre ni autour du banc. Elle se trouvait forcément sous le banc au moment des différentes prises de vue. Après tout, rien ne l'empêchait de photographier la pierre avec son cellulaire, *juste pour compléter le dossier au cas où* ; ce qu'elle fit. Deux fois plutôt qu'une. Et à plusieurs endroits dans l'atelier.

Ensuite, elle attrapa sa veste au vol et éteignit la lumière ; elle referma la porte, inséra la clé dans le cadenas, puis remonta au rez-de-chaussée.

Madame Tanguay l'attendait, anxieuse et nerveuse. Elle ne cessait, dans un geste répétitif, de replacer ses cheveux derrière ses oreilles. Ce qu'elle n'avait pas fait jusqu'ici en présence de l'enquêteure.

« Vous en avez mis, du temps ! Alors ? fut tout ce qu'elle trouva à dire d'une voix aiguë.

— Eh bien, rien, madame Tanguay, rien du tout. Tout était comme en juillet. Ce ne sera pas faute d'avoir essayé, en tout cas. Pardon, euh... en fait, j'ai bien découvert quelque chose. Mais qui n'a aucun rapport avec ce que je cherchais.

— Quoi, qu'avez-vous trouvé ? Mais parlez ! »

Mado remarqua que la voix de madame Tanguay trahissait une note diésée de constriction.

« Ça, fit-elle en dévoilant le pendentif en forme de cœur. C'est à vous, j'imagine ?

— Non, je ne porte pas de bijoux et n'en possède aucun, affirma Claire du tac au tac. Où l'avez-vous trouvé ?

— Sur le plancher de l'atelier. Par hasard, en fait. Il était en dessous du petit banc... que j'ai un peu déplacé... par inadvertance... C'est une vraie aigue-marine, et non de la pacotille, ça, j'en suis sûre ! C'est la pierre des natifs de mars. Je la connais bien, c'est le mois de ma naissance, expliqua Mado, un peu gênée. Les bijoux, c'est un peu mon péché mignon. C'est vraiment, mais vraiment très joli, n'est-ce pas ? Mais à qui diable peut-il...

— Ah, mais j'y pense, que je suis bête ! l'interrompit la veuve, soudain très détendue et d'un calme olympien. Eh bien, c'est ma fille qui va être heureuse ! s'exclama-t-elle d'une voix très gaie, à la limite de l'euphorie. C'est aussi sa pierre de naissance, elle est née en mars, comme vous. Il y a quelques mois de cela, ou quelques semaines, je ne sais plus trop, j'ai perdu la notion du temps depuis juillet, elle m'a demandé de passer la maison au peigne fin, car elle avait égaré un bijou, un pendentif qu'elle portait sur une chaîne au cou. Elle y tenait beaucoup, un cadeau de son mari... ou de son père ? Je ne sais plus trop. Personnellement, je ne l'ai jamais remarqué sur elle ; je ne m'attarde pas sur ces choses-là, ne portant pas de bijoux moi-même. Elle a dû le perdre quand elle se trouvait avec Michel dans l'atelier, ils y passaient souvent de longues heures ensemble. Chaque fois qu'elle venait à la maison en fait. Comme ce vendredi soir, une semaine précédant la mort de Michel. Moi, pendant ce temps-là, je m'occupais des petits, je leur donnais le bain, les mettais au lit et, en plus, *je devais entretenir* mon beau-fils de son travail, de ses projets, comme je pouvais. Il n'est pas très bavard, vous savez, alors c'était plus un monologue qu'un dialogue. Je n'ai jamais compris ce qu'elle lui trouve, ne put s'empêcher de remarquer la veuve, de but en blanc. Il s'ennuyait ferme, lui, c'était évident ! Il restait la plupart du temps *scotché* devant la télé, comme disent les jeunes.

« Comme vous le savez, je n'allais pas dans l'atelier, Michel ne voulait pas que j'y fasse du ménage. Il prétendait, gentiment bien sûr, que je "dérangeais" tout ! Heureusement, il fermait la porte ; ainsi, je ne voyais pas son désordre, concéda-t-elle d'un ton pincé. Pourtant, tout ce qui traîne se salit, non ? Le fait est que je n'ai pas vérifié cette pièce quand j'ai cherché le bijou, je n'y ai même pas songé et, comme je vous l'ai dit, je n'y suis pas retournée depuis... depuis juillet. Rébecca l'aidait, au sablage et au vernissage surtout, ou alors elle mettait la touche finale en dessinant des fleurs, des oiseaux ou des motifs décoratifs qu'elle peignait de jolies couleurs. Et ils discutaient beaucoup, riaient très fort, buvaient quelques bières et écoutaient de la musique en travaillant, non, pardon : je veux dire en *créant*. Ils disaient *travailler sur leurs créations*. Je crois qu'on peut dire que c'était des artistes. Ils écoutaient du Dylan surtout. Parfois les Beatles... Ils étaient... très... vraiment très proches, vous savez. Très complices, c'était quelque chose à voir. (Elle se racla péniblement la gorge avant de poursuivre.) Je vous remercie, madame Bonneau, finalement, votre visite aura été fructueuse. Merci pour Rébecca ! Vous avez bien refermé derrière vous, j'espère ?

— Absolument, oui, voici la clé. Je vous remercie à mon tour de votre compréhension, madame Tanguay, de votre patience et de votre entière collaboration. Rien ne vous obligeait à accepter ma requête et, soyez sans crainte, nous ne vous importunerons plus.

— Très bien. Je vous sais gré de m'avoir tenue au courant de... vous savez quoi. C'était un mal nécessaire, même si jamais je n'aurais cru pouvoir dire une telle chose ! Je pourrai me consoler en songeant que je possède désormais les vraies réponses à mes questions ! Euh... inutile, je crois, de vous prier d'en rester là. Je remettrai bientôt *l'algue marine* à...

— *Aigue-marine*, avec un trait d'union, du latin *aqua marina* qui signifie "eau de mer", c'est le nom de cette pierre, la corrigea Bonneau.

— Ah, pardon, je suis néophyte dans ce domaine. Bon... eh bien, merci encore pour elle ! Je vous raccompagne. »

Madeleine comprit que Rébecca Fleury, c'est ainsi qu'elle s'appelait, ne serait jamais informée des frasques de son père. Mais c'était là une histoire de famille qui n'était plus du tout de son ressort.

Rébecca

Après un bref échange avec Marie pour se fixer un rendez-vous plus tard dans la journée, Madeleine reposa le combiné. Chaque fois qu'elle faisait ce geste précis, c'était plus fort qu'elle, elle repensait à sa conversation avec Rébecca Fleury en octobre. Elle n'arrivait toujours pas à dépasser son malaise. Normal, puisqu'il s'amplifiait avec le temps. La jeune femme avait raccroché sans même dire au revoir. En octobre donc, après deux semaines à tergiverser, Mado avait fini par décider de l'appeler, par acquit de conscience. Et là encore, en ce jour de décembre, elle le regrettait. Cette étrange et très brève conversation qu'elle se remémorait souvent dans ses moindres détails la désolait au plus haut point.

« Bonjour, Rébecca, ici Madeleine Bonneau.

— Qui ?

— J'appartiens au bureau des enquêtes d'Alma ; je faisais partie de l'équipe qui a répondu à l'appel de votre mère à la police en juillet dernier, et j'ai aussi assisté aux funérailles de votre père.

— ... Ah oui, je me souviens de vous. *L'enquêteure* avec un *e*, c'est ça ? Qu'est-ce que je peux faire pour vous ?

119

— Eh bien, j'aurais une simple question à vous poser aux fins de vérification.

— Une question ? À moi ? Je ne vois pas ce... mais bon, OK, je vous écoute.

— J'aimerais juste vérifier un détail avec vous, ce ne sera pas long : est-ce que votre mari ou votre père vous a offert une aigue-marine en f...

— Quelle drôle de question ! l'interrompit Rébecca, pour le moins surprise. Ben, la réponse est oui, et ce n'est pas mon mari. Je ne sais pas pourquoi vous me demandez ça, et je m'en fiche de toute façon. Tout ce que je peux vous dire est que je l'ai perdue et... et... tiens, je vais vous dire autre chose : j'espère ne jamais la retrouver. JAMAIS, vous m'entendez ! De perdre ce cadeau précieux m'a rendue affreusement triste et pas fière de moi du tout. Oh, pas à cause de sa valeur marchande, mais parce que c'était le symbole de notre... notre... Bah, c'est sans importance maintenant. J'avais tellement honte de moi que je ne lui ai pas dit sur le coup que je l'avais égarée. J'étais certaine de la retrouver, au début en tout cas. Je ne comprends pas encore comment j'ai pu perdre cette pierre, j'y tenais comme à la prunelle de mes yeux ! Elle s'est juste volatilisée ! Et *la cerise sur le sundae*, c'est que, pendant des jours et des nuits, je n'ai pu m'empêcher d'y voir un signe, un mauvais présage, moi qui ne crois jamais à ces choses-là ! Mais j'étais loin de me douter qu'il y a mauvais et funeste, hein ? Finalement, Michel Fleury m'a tout donné pour mieux tout reprendre. Je ne veux plus rien posséder de ce qu'il m'a offert : c'est maudit. Mais personne ne peut comprendre, et vous encore moins ! Je ne veux plus entendre parler de lui par qui que ce soit, compris ?! »

Et elle avait raccroché abruptement, après avoir carrément vociféré ces derniers mots.

L'enquêteure avait certes reçu la confirmation à laquelle elle s'attendait, mais elle se sentait absolument chavirée par la réaction de Rébecca. Pas une seule fois elle n'avait prononcé le mot *père*. Elle avait préféré répondre à sa question par une négation, « *ce n'est pas mon mari* », pour éviter d'avoir à dire : *c'est mon père*.

Au départ, Mado fut surprise que la jeune femme ne soit pas déjà en possession de la pierre, mais elle en comprit vite la raison. Juste ciel, après de telles confidences, il était inconcevable qu'elle lui confirme avoir retrouvé l'aigue-marine et encore moins où elle l'avait retrouvée !

Il fallait absolument qu'elle demande l'avis de Marie à ce propos, car oui, c'était sûrement un « signe funeste », d'autant que la fille de Fleury l'avait perdue à l'endroit même où son père s'était donné la mort. Penser à ce détail macabre pétrifiait littéralement l'enquêteure. Mieux valait que Rébecca n'en sache jamais rien. Un moment, Madeleine avait songé à joindre madame Tanguay pour la mettre au courant de cette conversation, mais elle s'était retenue. Dans un premier temps, il était préférable de passer sous silence le fait d'avoir vérifié (auprès de Rébecca) ses allégations concernant l'aigue-marine. Il serait toujours temps de remédier à la situation si la fille informait sa mère de cette conversation téléphonique. De plus, Claire Tanguay connaissait probablement mieux que personne les sentiments de Rébecca par rapport à cette pierre depuis le suicide de son père. Elle n'avait eu aucune raison d'en faire part à Bonneau lors de sa visite en octobre, ces choses-là demeurant d'ordre privé. Il coulait de source que la mère n'avait pas remis l'aigue-marine à sa fille, du moins pas au moment où Madeleine avait passé ce coup de fil à Rébecca. Attendait-elle de plus favorables auspices pour lui rendre la pierre ? Ou peut-être n'en avait-elle aucunement l'intention...

Mado se sentait certes soulagée de n'avoir rien dévoilé à la fille de Fleury, mais pas rassérénée pour autant. Le dossier Fleury-Després était bel et bien classé. Mais Dieu qu'elle en avait marre d'y penser sans cesse. Les deux affaires tournaient et retournaient dans sa tête comme des toupies, ne lui laissant aucun répit. Il faut avouer qu'elle ne s'aidait pas non plus en conservant une copie de chacun des dossiers dans sa mallette porte-documents et en les feuilletant à temps perdu... et même en cas d'insomnie ! Elle avait sincèrement cru qu'après sa « visite-perquisition » dans l'atelier, elle se sentirait soulagée, mais non. Une autre hypothèse voulait prendre le contrôle de sa pensée, mais elle s'y refusait. C'était trop tordu.

Madeleine se sentit d'un coup très abattue et préféra penser à sa sortie avec Marie. Elles devaient aller souper au resto ensemble et faire un peu de magasinage après. Les fêtes de fin d'année approchaient à grands pas et elle voulait absolument offrir un cadeau original à sa nouvelle amie. Peut-être pourrait-elle remarquer sur quoi Marie s'attarderait dans les boutiques, lesquelles, fort heureusement, étiraient leurs heures d'ouverture plus tard en décembre.

Depuis octobre, alors que Madeleine s'était décidée à l'appeler, les deux femmes se voyaient régulièrement. En peu de temps, elles étaient devenues proches. Le fait qu'elles pratiquaient des métiers hors du commun les unissait, les mettait sur une même longueur d'onde, sans parler de leurs initiales identiques, détail sur lequel revenait sans cesse Marie.

« Je suis certaine que nos initiales dans les agendas de Fleury et de Després, ce n'est pas juste une coïncidence banale, soutenait-elle mordicus. Loin de moi l'idée de nier que cela a contribué à tisser les premiers fils de ce qui s'annonce vouloir devenir une longue amitié entre nous. Mais il doit y avoir un rapport quelconque avec TES deux affaires, qui impliquent deux de MES consultants après tout ! Plus qu'un rapport en fait. Une raison, encore cachée pour le moment, mais non moins présente pour autant ! J'en demeure persuadée. Laquelle ? Je ne vois pas... *Du moins, pas encore, chère !* »

Mado sourit en songeant à la franchise et à la spontanéité de Marie. Sa façon de s'exprimer rappelait la pureté, la fraîcheur de l'eau de source. Elle ne craignait jamais de faire part de toutes ses pensées, même les plus extravagantes, les plus farfelues. Et l'enquêteure était certaine d'une chose : Marie n'aurait de cesse de découvrir le pourquoi de ce qu'elle appelait, elle, une *extraordinaire synchronicité.*

Pour Mado, il n'existait pas de « raison cachée » pour les initiales M. B. dans les agendas de Fleury et de Després. C'était un hasard. Un heureux hasard qui avait permis une première rencontre.

Elle se sentit soudain détendue, ses idées extravagantes et récurrentes sur une affaire pourtant classée laissaient place à de plus légères pensées. Elle redécouvrait les valeurs inestimables de l'amitié et, ce qui n'était pas pour lui déplaire, elle pénétrait avec Marie Bouchard dans un monde réservé à des initiés. Elle se concentra sur cette amie extraordinaire, ô combien bienvenue dans sa vie de solitaire...

Marie Bouchard faisait plusieurs années de moins que son âge, physiquement et mentalement ; ainsi, Madeleine avait l'impression d'être avec une femme de son âge. En contrepartie, son amie affirmait avoir l'âme beaucoup plus vieille que « les chiffres terrestres » de ses années. Un état, selon elle, qui exigeait parfois d'inévitables et solides « mises à niveau » – un charabia pour Madeleine qui n'avait pas encore eu le loisir d'approfondir cet étrange énoncé.

Juste après le fameux *triangle amoureux*, auquel Marie était devenue carrément allergique tellement il gardait prisonnières des femmes pourtant libres d'esprit comme Madeleine, sans parler de la belle Annie Després, *le triangle routine, stabilité, sécurité* lui donnait (littéralement) la chair de poule. Marie Bouchard citait volontiers Einstein pour imager sa propre philosophie de la vie : « *La seule constante dans l'Univers, c'est le changement.* » Elle soutenait qu'en acceptant les multiples changements dans notre vie, on se retrouvait invariablement en paix avec soi-même et le monde.

Si Marie marchait pratiquement chaque jour, c'était autant pour faire un tour en méditant et en observant la beauté du monde, les changements de saisons (et ainsi avoir une chance d'apercevoir l'extraordinaire) que pour faire de l'exercice. À Madeleine qui lui demandait sa recette de jouvence, elle répondait : « Fais l'amour ou bien fais un exercice physique quelconque de façon très régulière, dehors si possible. C'est le meilleur antidote à la prise de poids, à l'humeur morose et au vieillissement prématuré. Et garde en tête ces sages paroles d'Hippocrate : *"Que l'aliment soit votre premier médicament !"* »

En plus d'avoir le « troisième œil » grand ouvert, elle avait le pouce vert, Marie Bouchard, quasi plus vert, grand Dieu, que la nature elle-même !

Ses orchidées, qu'elle soignait pourtant à la va-comme-je-te-pousse, fleurissaient dix mois par année quand celles de Mado peinaient à avoir une seule floraison ! Elle lui conseillait ce qu'elle-même faisait : souvent dire aux plantes qu'elles étaient belles et combien on les appréciait.

« Ce sont des végétaux, des *vivants*, Madeleine. Naissance, vie, mort : le lot des êtres humains. Ils réagissent à leur environnement, donc à nous aussi, et ils croissent dépendamment des qualités et des attentions de celui-ci. »

En fine psychologue de la nature humaine, l'enquêteure avait très vite saisi les contrastes qui habitaient son amie. Elle paraissait calme, tout en étant perpétuellement agitée d'un grand feu intérieur. On l'imaginait timorée, et peut-être même faible, alors qu'elle ignorait la peur et le doute. Marie avait l'air sérieuse, parfois nostalgique, mais disponible dans l'instant à faire de l'humour, à rire aux éclats, à danser, à chanter. Sous une apparence normale et simple se dissimulait une personne d'une grande originalité et d'une étonnante complexité. Marie Bouchard ne jurait que par le cercle très fermé des mots : *amour, attention, extraordinaire, changement, respect, vérité, sincérité, impeccabilité, confiance, engagement, empathie, nature et surnaturel, beauté.* Sans oublier *l'art.* Sur tout cela, ou presque, elles se rejoignaient.

Marie, l'intemporelle, *la M. B. du yin*, exerçait sur Madeleine un pouvoir d'attraction aussi réel que celui de la lune sur les marées...

Qu'est-ce que je vais bien pouvoir lui offrir comme cadeau de Noël ? se demanda soudain l'enquêteure avant de se replonger dans son dossier actuel, une histoire banale de vol à main armée...

* * *

Dans l'attente de leurs plats, les deux femmes étaient confortablement assises à table ; elles dégustaient un *Frambleu*, un vin-apéritif de framboises et bleuets conseillé par le serveur. Un pur délice. Cette soirée de décembre était glaciale et sinistre. Il ventait du nord avec une température de moins 15 degrés. Si le facteur éolien s'amusait à augmenter l'impression de froid, le paysage encore automnal, sans tapis neigeux, le rendait malheureusement bien tangible. Le bistrot était bondé et l'ambiance, très chaleureuse.

Madeleine se confiait volontiers à Marie, et vice versa, car toutes deux avaient appris l'art d'écouter bien avant celui de parler. Elles échangeaient leurs points de vue sur un tas de sujets : actualités, politique, spiritualité, philosophie, loisirs, nature, travail...

Très souvent, l'affaire Fleury-Després revenait au centre de leurs conversations. Marie voyait bien que l'enquêteure était encore hantée par cette affaire, pourtant officiellement classée.

« Dis-moi, Marie... J'aurais une question. OK, peut-être deux ou trois. »

Elles se sourirent. C'était devenu une boutade entre elles. Elles avaient plusieurs choses en commun, mais sûrement pas la même conception des nombres.

« Tu m'as toujours dit et répété que Fleury n'était pas un candidat au suicide. Mais... hum... aurait-il pu, selon toi, dans un geste de folie, commettre un... meurtre ? »

La réaction de Marie la surprit, ou plutôt son absence de réaction. Son amie ne semblait ni étonnée ni choquée par la question.

« Eh bien, dis-toi que l'idée m'est venue quand on a retrouvé le corps d'Annie en octobre, avoua Marie. Et je me demandais bien quand tu te déciderais à m'en parler. Voilà donc ce que tu penses, toi, qu'il aurait pu assassiner Annie et mettre fin à ses jours par la suite, c'est ça ?... Hum... Franchement, Mado, je n'en sais rien. Jamais je ne me prononcerais sur une telle assertion. Ça relève de tes fonctions, pas des miennes. Tout est possible dans la vie, mais les nombres ne vont pas jusqu'à prédire de tels actes, tu sais. Bon, peut-être... dans certains cas et certaines conditions très spécifiques, oui. De toute façon, je ne les vois pas dans cette optique-là, alors ils restent muets. N'ayant jamais été confrontée personnellement à de telles situations, n'ayant aucune expérience quant aux comportements ou mobiles des tueurs, il est impossible pour moi de me prononcer.

« Annie rendait Fleury à bout de nerfs, ça oui, elle lui mettait une forte pression, encore oui, mais de là à l'assassiner ?... Brrr, j'en sais rien. En revanche, quand votre bureau des enquêtes conclut à deux suicides passionnels, désolée, mais je n'arrive pas à accréditer une part de cette conclusion. Pour Fleury, j'en suis incapable, tu le sais bien.

— Oui, chère, je le sais mieux que personne, confirma Mado. Je suis d'accord avec toi sur ce dernier point. Alors, si tu veux bien, partons de l'idée qu'il ne soit pas un assassin, et qu'il ne se soit pas suicidé par amour pour Annie.

— Hein ? ! Mais qu'est-ce qui reste ? Tu m'as dit que sa femme ne pouvait en aucune façon être reliée à sa mort, qu'elle a été lavée de toute responsabilité, de tout soupçon.

— C'est juste, Marie. Tu vas sûrement être surprise cette fois, mais j'aurais un autre motif de suicide à te suggérer pour Fleury. Et je crois qu'il serait beaucoup plus crédible.

— Ah, ouais ? fit Marie, l'air éberlué. Alors là, je t'écoute, ma belle, tu m'intrigues au plus haut point !

— Sa fille.

— Sa fille ? Je ne comprends pas. »

Mado lui rappela, comme chaque fois qu'elles s'entretenaient sur ce sujet, que tout ce qu'elle lui confiait devait rester secret. Et, comme chaque fois, sans se formaliser d'aucune manière, Marie lui jura le silence absolu.

Puis, l'enquêteure lui exposa longuement son hypothèse.

Elle détailla d'abord Rébecca Fleury, et combien elle devait être jolie et pétillante avant la mort de son père. C'était une artiste, à l'instar de Fleury. Elle enseignait les arts plastiques dans une école secondaire et elle était mariée, mère d'une fillette et d'un petit garçon. Bonneau parla ensuite de l'état excessif, quasi hystérique, dans lequel se trouvait Rébecca aux funérailles de Michel Fleury : « On aurait juré l'épouse du défunt, Marie... » L'enquêteure ajouta que Rébecca était en arrêt de travail depuis le suicide de son père, et séparée depuis peu. Pour le moment, elle avait laissé la garde de ses deux enfants à son conjoint, tant son état mental demeurait instable et inquiétant. Puis, Mado enchaîna avec sa rencontre informelle mais très instructive avec Claire Tanguay, en octobre, quand elle était allée la mettre au courant de la relation amoureuse entre son mari et Annie Després. Mado décrivit toute la scène, l'entretien, et aussi sa surprise de constater que la maison n'était pas à vendre, et ne l'était pas davantage cinq mois après le suicide de son époux. « Resterais-tu, toi, Marie, dans la maison où ton mari se serait donné la mort ? Non ? Moi non plus... » Puis l'enquêteure parla longuement de la veuve, de son caractère, de ses réactions, de ses états d'âme, incluant son obsession de la propreté. Elle raconta dans le menu détail sa visite dans l'atelier, spécifiant qu'il ne s'agissait pas d'une perquisition, puisqu'elle n'avait aucun mandat. Et, bien évidemment, la découverte de l'aigue-marine en forme de cœur, une pierre précieuse incomparable, un bijou de toute beauté et d'une très grande valeur marchande, prit une large part de son exposé. Elle mentionna au passage qu'elle l'avait photographiée sur l'établi, et aussi ailleurs dans l'atelier, en prenant soin d'y ajouter la date, histoire de l'inclure au dossier Fleury-Després.

Mado raconta la remise du pendentif à la veuve, puis l'attestation de celle-ci, comme quoi la pierre précieuse appartenait bien à sa fille qui l'avait égarée. Ce qui s'était avéré exact, après vérification. Puis, la policière termina en relatant la désolante conversation téléphonique qu'elle avait eue avec Rébecca en octobre. Conversation qui ne cessait de la bouleverser.

« Torpinouche, je comprends que tu sois toujours sous le choc ! On le serait à moins. Ça alors, s'écria Marie alors que l'enquêteure reprenait son souffle et sirotait une gorgée de vin, encore heureux que Rébecca Fleury ignore avoir perdu cette pierre à l'endroit même où son père s'est enlevé la vie ! C'est le présage le plus funeste qu'il m'ait été donné d'entendre depuis longtemps, Mado. Dommage que je ne connaisse pas la symbolique des pierres, sauf la mienne, plus une ou deux autres. Une aigue-marine... ça ne me dit rien du tout !

— C'est plutôt étonnant de ta part, ça ! fit Mado qui avait plus ou moins espéré recueillir de son amie quelques informations supplémentaires, de celles qu'on ne trouve pas sur le Web.

— Ah, pas tant que ça ! L'astrologie, et aussi les pierres reliées aux mois de naissance, tout ce vaste domaine exige beaucoup de lectures, de recherches, de connaissances, de passion et de temps à leur consacrer, temps que je n'ai pas. Je demeure persuadée que les pierres, en tant que partie intégrante de la nature, dégagent leurs vibrations spécifiques. Quand on me dit : *Je suis Taureau* ou *je suis Vierge, qu'est-ce que ça vous dit et c'est quoi ma pierre de naissance ?* et que j'ai l'audace de répondre que je n'en sais rien du tout, les gens me font de méchants regards en me lançant des airs d'incrédulité et d'incompréhension totale. Comme si je devais obligatoirement savoir "ça" aussi pour être parfaitement crédible à leurs yeux, enfin tu vois le tableau !

— T'es trop drôle, Marie. Faut pas te titiller beaucoup pour provoquer une avalanche d'explications ! Donc, ta pierre à toi, c'est... ? (Une idée de cadeau venait de surgir dans la tête de Mado.)

— Tu mènes ta petite enquête, là, on dirait. Déformation professionnelle, Madeleine Bonneau, tu vérifies mon allégation ! »

Et leurs rires fusèrent, rendant envieux bien des voisins de table.

« C'est l'améthyste, madame l'enquêteure de police. Mais, plus sérieusement, revenons à... Rébecca, c'est son nom ? Oui. Je pense que si elle apprenait où elle a égaré son aigue-marine, vu l'extrême fragilité de son état mental, elle pourrait en perdre la raison. Espérons que sa mère gardera le secret ! Quelle macabre coïncidence ! Un signe des plus funestes, s'attrista Marie, compatissante, des plus tragiques. Ce genre particulier de présage est plutôt rare, tu sais : soit qu'il se présente de cette manière, soit qu'il apparaisse en visions dans des rêves prémonitoires. Et cela survient uniquement quand des êtres sont très proches l'un de l'autre comme des amis ou des parents, ou très complices, très intimes, ou très liés d'une quelconque manière. Il y a aussi le cas des âmes sœurs qui vont se retrouver séparées... Mais où veux-tu en venir, Mado ? »

Le regard soudain consterné, la mine défaite, Madeleine se contenta de lui dire ceci :

« Tu viens juste de répondre toi-même à cette question. En partie, du moins. »

Aguerrie aux turpitudes humaines, Marie comprit en un éclair. Elle posa une main sur sa bouche, les yeux agrandis de stupeur.

« Non !? Tu crois qu'ils étaient... qu'ils avaient une... Non, sérieux ?

— Eh bien, oui, malheureusement, je pense que c'est possible, Marie. Sans bien sûr pouvoir l'affirmer.

— ... Hum... En effet... Si, et seulement SI Fleury avait une relation incestueuse avec sa fille, que celle-ci fasse partie du passé ou qu'elle ait été encore actuelle en juillet, oui, je crois qu'il aurait pu s'enlever la vie à cause de cela. L'autre motif étant le fait qu'il n'ait pu vivre avec un meurtre sur la conscience. C'est mon humble avis.

— Eh bien, nous sommes d'accord, c'est aussi le mien. Hélas, nous ne le saurons jamais, n'est-ce pas ? Fleury a tout emporté avec lui en mourant. TOUT, sans rien laisser derrière lui ! Soit c'était un assassin qui, comme tu viens de le souligner, ne supportait pas de vivre avec un meurtre sur la conscience, soit il s'est suicidé à cause de sa fille... Dans ce dernier cas, mis à part Rébecca, il existe une personne sur cette terre, une seule, qui connaît la vérité.

— Tu veux parler de la mère.

— Oui, Claire Tanguay. Je ne t'apprendrai rien, Marie, en te disant qu'il arrive que des mères soient au courant, et qu'elles ferment pourtant les yeux. Par peur, la plupart du temps, par lâcheté aussi, par manque de discernement, par bêtise, négligence, ignorance ou pure inconscience... Cette femme-là est intelligente, Marie, elle voit tout et, comme je te l'ai dit tantôt, d'une manière si pointilleuse et si maniaque que c'en est presque effrayant. S'il y avait encore ou s'il y avait eu par le passé ce genre de relation entre Fleury et Rébecca, alors c'est impensable et quasi improbable qu'elle soit passée à côté sans rien voir. T'ai-je mentionné que l'accès à l'atelier lui était refusé par son mari ?... Non ? Eh bien, c'était le cas, monsieur refusait qu'elle y fasse du rangement, du ménage. Après avoir eu la chance de visiter les lieux, je le comprends, tu sais. Lorsqu'elle m'a raconté comment le père et la fille travaillaient dans l'atelier, qu'elle m'a parlé de leur complicité, de la musique qu'ils écoutaient, du fait qu'ils *créaient ensemble*, elle m'a paru très mal à l'aise et a changé brusquement de sujet. Était-ce de la jalousie ou de l'envie dans sa voix ? En tout cas, on aurait dit qu'elle parlait d'une possible rivale ! Ces heureux souvenirs semblaient, de toute évidence, moins roses pour elle. J'ai d'abord cru que son obsession de la propreté venait du fait d'être sans cesse trompée, donc souillée en quelque sorte par son mari, mais peut-être faut-il y ajouter cet autre motif, tellement plus... ignoble, plus sale. On est en droit de se poser la question.

« Tu sais, j'en ai vu de toutes sortes dans mon métier, et les relations incestueuses sont malheureusement beaucoup plus fréquentes qu'on ne le croit. Ouf, c'est lourd... Changeons de sujet, je suis désolée de t'ennuyer ainsi !

— Non, non, c'est OK. J'en entends des vertes et des pas mûres aussi, dans mes consultations. Cette affaire m'intrigue au plus haut point, et j'ai quand même rencontré les deux personnes impliquées ! Quand j'y repense, et surtout au fait qu'ils sont morts tous les deux, j'en ai des frissons. J'ai du mal à y croire. Seigneur Dieu, comme c'est triste, en effet ! Ces dernières années, plusieurs individus, même

132

des vedettes, ont ressenti le besoin de témoigner des sévices sexuels qu'ils ont subis. C'est tant mieux, j'imagine. Faudra donc, malgré cette nouvelle hypothèse qui tient plutôt la route, j'en conviens, que tu restes avec des doutes, ma chère Madeleine. On ne parvient pas toujours à atteindre la vérité. L'important demeure la quête et le combat qu'on est prêt à livrer pour elle. Et souvent, comme l'amour, c'est quand on ne la cherche plus qu'elle vient à nous.

— T'as raison. J'en sais quelque chose. Le plus terrible et le plus dramatique dans mon métier est qu'on peut se mettre à suivre de fausses pistes avec de vrais indices! Y'a rien de plus frustrant que ça! L'horreur, je te dis!... Bon, il est temps pour moi de passer à autre chose. Dossier Fleury-Després bel et bien clos: AFFAIRE CLASSÉE! Je ne t'en reparlerai plus, promesse de *femme flic*... Ah, voici enfin nos plats! Que j'ai faim! »

L'enquêteure Bonneau était loin de se douter à quel point elle venait de décrire sa propre situation! L'avoir su, elle en aurait perdu l'appétit pour des jours entiers. Il aurait fallu, à cet instant, lui conseiller de se fier aux sages paroles de son amie... Lui suggérer de s'en remettre à son instinct de départ: *eaux troubles*... Mais comme elle venait de classer officiellement et définitivement l'affaire dans sa tête, aurait-elle écouté?

Le temps fait son œuvre

Le printemps tardait à venir, laissant un arrière-goût de morte-saison dans les esprits et les conversations. Tout au long de l'hiver, redoux et *refroid* avaient rondement mené le bal, et semblaient refuser d'abandonner la piste de danse à la nouvelle saison. En mars, ce tango météorologique enfiévré battait encore la mesure du temps en ce jour de vilaines giboulées. Pour oublier la contrainte de rester confinée à demeure, Marie avait décidé de refaire entièrement la décoration de son bureau de consultation. Plus qu'un grand ménage, des couleurs à la mode ainsi que de réels changements s'imposaient. Avant l'arrivée du peintre, elle s'activait à terminer de vider la pièce en profondeur.

Elle prit dans sa main le cadeau que Madeleine lui avait offert à Noël. Pour une énième fois, elle s'assit pour le contempler. C'était une améthyste brute, non taillée dont le poids ne devait pas excéder six ou sept cents grammes. Sa base était d'un tendre lilas, alors que ses pointes reflétaient des teintes violacées. La pierre était rehaussée d'un ermite en étain, les bras levés à l'horizontale. Ses vêtements amples et sa longue barbe flottaient sous la force d'un vent invisible. Il tenait une magnifique boule de cristal dans une main et un bâton de pèlerin dans l'autre. La figurine encastrée dans la pierre faisait à peine six centimètres de haut. L'amalgame était admirable. Un présent inestimable, à l'image même de leur amitié. Le cadeau en main, les yeux rivés sur l'ermite, Marie resta assise et se prit à rêvasser...

Bien que plusieurs mois se soient écoulés depuis sa rupture avec X (c'est ainsi que Mado avait choisi de baptiser son dernier amoureux), il était évident que Madeleine y songeait encore beaucoup. En fait, l'affaire Fleury-Després avait contribué à l'attiser en elle, tel un feu mal éteint qui se réveille avec le vent.

Parfois, et davantage aux jours sombres et pleureurs, Madeleine donnait l'impression d'être endeuillée. Et Marie lui en avait fait la remarque. Mado lui avait répondu que c'était peut-être moins courant de faire le deuil d'un vivant que d'un mort :

« C'est normal, même si c'est long, de faire le deuil d'un mort. Mais ça semble anormal de devoir le faire pour un vivant ! »

Elle parlait par expérience : la mort avait fauché son premier amour, et la vie, le second.

Dès le début de leur amitié, Mado n'avait pas tardé à se livrer, heureuse de pouvoir enfin se confier à une amie sincère, à une confidente qui ne portait pas de jugements gratuits. Elle avait longuement parlé de son premier mari, racontant, évidemment, les détails de sa mort subite et violente. Lesquels avaient attristé et atterré Marie. Le fait qu'on ne soit jamais parvenu à arrêter les coupables lui était difficile à accepter, et aussi à gérer. Cela contribuait à laisser son deuil en suspens, avait avoué Madeleine, sans compter les sérieuses répercussions sur son métier, comme cet acharnement quasi pathologique à traquer les criminels. L'amertume, les regrets, la colère, le déni, tout ça avait fondu dans l'arc-en-ciel du temps. Seule persistait la douleur, comme un cancer qui prolifère en métastases, même après des traitements-chocs.

Penser que David n'existait plus, qu'il ne faisait plus partie de la beauté du monde, se rappeler que son départ était définitif, irrévocable, voilà qui réveillait sa blessure. Leurs rires, leurs folies juvéniles, les confidences au téléphone, sa voix et ses mots en italien qui la charmaient tant, son regard ensorceleur, sa façon de lui faire l'amour : toutes ces réminiscences rouvraient sa cicatrice. Se souvenir que le temps leur avait échappé – oh ! pas longtemps, quelques mois à peine ! – pour faire cet enfant qu'ils désiraient tant tous les deux rendait sa solitude plus cruelle, plus douloureuse.

Ce qui l'attristait davantage était de perdre le souvenir de son image ; les traits de David s'effaçaient dans le flux et le reflux des années, telles des empreintes sur le sable. Seules les photographies ou les vidéos lui ramenaient son mari tel qu'il avait été.

En revanche, chaque fois que le téléphone sonnait chez elle, c'était automatique : elle pensait à lui d'abord. C'est qu'il l'appelait plusieurs fois par jour quand il se trouvait en déplacement. Tel un bon beignet chaud recouvert de sucre glace, chaque appel était un délice, saupoudré d'intimité et de complicité. Il n'oubliait jamais de lui répéter qu'il l'aimait, au cas où... Le son de sa voix était resté bien gravé dans le cœur de Mado ; indélébile, même après tant d'heures, de jours, de mois, d'années sans l'entendre. C'était devenu sa panacée. Ces mots d'amour enregistrés dans son cœur palliaient l'effacement du visage de David.

« Le hasard a si peu de place dans notre vie, finalement ! On devrait s'attarder davantage sur les leitmotivs que l'on répète sans trop savoir pourquoi. Je pense qu'ils proviennent des abysses intérieurs de notre être. Ces mots, ces formules, ces idées récurrentes et persistantes s'habillent différemment, de façon farfelue, loufoque ou même absurde. Ils semblent émerger de nulle part et on peine à les reconnaître et à les accepter comme nous appartenant en propre. Sur le tableau de vie de David, c'était écrit qu'il partirait avant moi. Et même si la formule "au cas où…" pouvait alors paraître insensée, il a eu raison de s'y attarder et de ne pas la prendre à la légère. Je sais que toi, Marie, tu peux comprendre ce genre de… considérations métaphysiques. Car, elle est bien arrivée cette fois où il n'est plus jamais revenu à la maison. Grâce à sa ténacité, à son entêtement ou à sa clairvoyance, je suis restée, moi, avec sa voix gravée dans mon cœur. Ses mots d'amour, je les entends encore, et je les entendrai toujours, Marie. »

Quant à sa deuxième et dernière relation amoureuse, Madeleine s'était confiée à fond, mais tout en restant vague sur la forme.

Probablement pour préserver l'anonymat de celui qui était déjà engagé avec une autre – le monde est si petit en région – et parce que la situation était fort compliquée, elle l'appelait juste X. Elle avait avoué que la souffrance des longues absences de cet homme avait vite supplanté le bonheur de ses courtes présences. Elle se répétait qu'elle méritait tellement mieux que cette liaison bancale. Elle était subjuguée par X, fascinée par son regard, par son sourire. Aussi par sa fougue juvénile et tant d'autres détails. Madeleine avait horreur de se plaindre ou de s'épancher inutilement en jérémiades sauf, dans ce cas précis, pour exprimer sa totale incompréhension :

« Comment ai-je pu me tromper à ce point, Marie, à son sujet et sur toute la ligne ? J'ai été si bête, si aveugle, j'en reviens toujours pas. »

Mado lui avait fait remarquer, *primo*, qu'elle se jugeait trop sévèrement et, *deusio*, que, quand il est question d'émotions, l'humain utilise très peu sa raison, voire pas du tout !

« Ce n'est pas parce qu'on sait traquer des criminels ou confondre des menteurs, qu'on a un instinct sûr pour jauger les gens ou encore pour réussir à classer une enquête complexe qu'on est en mesure de faire de même dans sa vie personnelle ! Une erreur, un écart dans notre vie professionnelle, une faute grave, même un échec, un défi se transforment souvent en "expérience", de sorte qu'on refait rarement les mêmes erreurs ! C'est loin d'être le cas dans notre vie sentimentale et émotionnelle où le cœur, l'instinct, la passion, les sens priment la raison. Chaque relation manquée provoque son lot d'écorchures : des blessures à l'âme ou à l'amour-propre, un mal-être ou encore une perte de confiance en soi. Chaque échec amoureux met en exergue nos problèmes non réglés, notre dépendance affective, notre naïveté excessive, notre aveuglement, nos espoirs trop élevés ou nos attentes trop irréalistes, aggravant ainsi nos cicatrices douloureuses. »

Parce qu'elle l'aimait, Madeleine avait voulu longtemps croire en lui, lui faire confiance, et cela, en dépit de tout bon sens. La voir dépérir un peu plus chaque jour, telle une plante privée d'eau et de lumière, attristait beaucoup ses proches et, vers la fin surtout, sa sœur aînée, Denise, s'était carrément mise en colère.

« Ne viens pas me lancer que la qualité prévaut sur la quantité, Madeleine Bonneau ! Il faut te ressaisir. Cela ne te ressemble pas ! Est-ce que tu te vois aller ? C'est trop cher payé ces quelques petites heures de bonheur volé. S'il t'aimait comme tu le crois, et comme toi, tu l'aimes, il serait avec toi à l'heure qu'il est. Tu ne me convaincras jamais du contraire ! »

Cette sévère remontrance l'avait dégrisée en quelque sorte, l'avait fouettée tel *un café très fort et très noir après une brosse*, avait-elle ajouté, avec humour. Et le fait d'en rire aujourd'hui dédramatisait la situation et la libérait. Encore heureux qu'elle se soit finalement ressaisie un jour, prenant la décision de le quitter elle-même. Ce n'est qu'à la deuxième tentative qu'elle avait réussi à tenir bon. À ne jamais le rappeler. À ne plus le revoir.

« Comme tu dis, Marie, tout s'oublie ou du moins s'atténue avec le temps. J'y arrive, je le sens, surtout à cause de ton aide précieuse. Et parce que je sais en rire, et aussi, parce que cette mautadite affaire Fleury-Després est enfin classée !... OK, bon... oui, là, j'avoue, j'y pense de temps à autre, mais je ne t'en parle plus, non ? » avait-elle ajouté sous le regard inquisiteur de Marie.

L'amour était important dans la vie de Madeleine Bonneau, sans pour autant qu'elle soit femme à tomber facilement amoureuse. L'enquêteure se sentait beaucoup aimée, de sa famille, de ses proches, de ses collaborateurs, de Marie. Et elle le rendait au centuple. Mais, il était clair qu'elle n'avait pas abandonné l'idée d'être juste... aimée. Sans autre complément, direct ou indirect.

Avec une fougue peu commune, généralement réservée à ses enquêtes, Mado avait commenté :

« La langue anglaise a pourtant dans ce cas précis deux mots qui ne laissent place à aucune ambiguïté : *love* et *like*. Les anglophones savent-ils la chance qu'ils ont ? Ce que je désirais à ce point de ma vie, quand je l'ai rencontré, lui, c'était de vivre une autre belle et vraie histoire d'amour, à l'image de ma première, j'imagine. C'était ma seule référence. Et je la vivais, enfin ! Du moins, je croyais la vivre, ce qui était aux antipodes de la réalité. Le plus ironique, mon amie, est que cette histoire vraie n'a été en réalité qu'une pure illusion. Tout compte fait, les histoires inventées qui paraissent en tous points véridiques et qui nous font tant rêver dans les livres ou les films sont de loin préférables à ce que j'ai vécu. »

Sûrement que le premier homme de sa vie, David, *loved her.*

Quant à X, Marie en doutait fort.

Certes, elle n'avait pas eu la chance de le rencontrer personnellement. Elle ne le connaissait donc que par personne interposée. Comme Madeleine Bonneau n'était pas femme d'exagérations, et encore moins de mensonges, Marie se fiait entièrement à ses confidences. X avait eu le culot non seulement de faire des projets de rénovation dans l'appartement de Mado et de planifier des activités de retraite avec elle, mais aussi de lui demander ce qu'elle espérait d'un compagnon pour les vingt ans à venir ! Cela ne revenait-il pas à afficher des intentions sérieuses envers elle ? Du moins Mado avait-elle pu le croire. Sinon, pourquoi ?

Si Madeleine était en mesure de lui offrir un engagement sincère, en lui confirmant dans une longue lettre d'amour ses attentes et ses intentions, lui se trouvait à cent lieues de l'être. En vérité, X mentait. Depuis le début. Il manipulait. Il ne cessait de se défiler et de « défiler » en portant plusieurs atours et masques. Cet homme, à n'en pas douter, était un maître de l'esquive.

« Tu sais quoi, Marie ? Je peux te le confier à toi, mais à toi seule. Aujourd'hui, surtout après cette enquête Fleury-Després, et davantage parce que je commence à y voir plus clair dans les relations triangulaires, je me sens plus objective. Ce qui fait que je me rends compte que X, qui était finalement très narcissique, ne désirait que... hum, c'est dur à dire... Je suis convaincue qu'il avait eu d'autres maîtresses avant moi. L'attrait de pouvoir ajouter une policière à son tableau de chasse a été irrésistible. Ça s'est probablement juste résumé à "ça" pour lui.

— C'est possible, Madeleine. Je comprends que "ça" peut être, comment dire, humiliant. Mais tu ne devrais pas te sentir humiliée. Car c'est lui, le parasite, pas toi ! Ce genre de personnes, homme ou femme, célibataire ou déjà engagé, peu importe, viennent prendre chez l'autre ce qu'ils n'ont pas ou ne posséderont jamais en eux. Dans ton cas précis, on pourrait dire, hum... les couilles d'être flic ! (Elles avaient bien ri à cette remarque.) Ça se passe en amour, mais aussi en amitié ! Au contact de l'autre, ces parasites se nourrissent et se métamorphosent, que ce soit sur le plan spirituel, intellectuel, matériel et bien sûr charnel. Ils dévorent l'énergie de leur partenaire, prennent des forces, ils deviennent puissants, développent du contrôle, ils s'auto-admirent ou s'adulent davantage. Dis-toi que tu n'es pas la seule à qui c'est arrivé et que, contrairement à la belle Annie qui a payé, elle, de sa vie, tu as réussi à te libérer de son emprise et de son piège de... de vulgaire braconnier finalement ! Ton fameux X me paraît le clone conforme de Michel Fleury ; et des Fleury, ma chère amie, *y en a des tonnes de copies !* comme le proclame une certaine pub. Alors, songes-y souvent, et compte-toi chanceuse de t'en être sortie indemne ! Plus que tout, Mado, tu dois transformer cet échec amoureux en expérience afin de briser le cycle des écorchures et d'être en mesure d'en retirer une leçon pour l'avenir !

— Ouais, t'as bien raison, c'est la meilleure chose à faire ! »

Marie continua de s'interroger, le regard perdu au-delà de la fenêtre qui donnait sur sa cour.

Comment X avait-il pu ne pas comprendre ou voir à quel point Madeleine l'avait aimé d'un amour rare, parce qu'inconditionnel et intemporel ? Comment Fleury avait-il pu faire fi du profond sentiment amoureux d'Annie Després envers lui ? Comment peut-on passer à côté d'un amour extraordinaire sans désirer s'arrêter ? Force lui était de réaliser, après les aventures d'Annie et de Mado, que cette sorte d'amour vrai ne pouvait se vivre qu'entre deux êtres d'égale valeur, d'égale sincérité, et parvenus au même point dans leur chemin de vie. Ah, qu'il était inutile et vain de donner tant de mots d'amour à quelqu'un qui ne savait même pas lire !

Fort heureusement, avec le temps, un sentiment amoureux d'une telle intensité éloigne ou alors il confond celui qui accepte volontiers de le recevoir, tout en se sachant inapte à le donner en retour, songea-t-elle. Cela a dû se passer pour Fleury. Un sentiment amoureux d'une telle luminosité, d'une telle sincérité, irrite au plus haut point le faussaire que devenait Fleury au fur et à mesure que progressait sa liaison. Un tel amour déstabilise celui qui parle une autre langue que celle de la vérité, il débusque celui qui fait partie de ceux que j'appelle les passagers clandestins. Ah, ces maudits triangles amoureux, ils peuvent devenir parfois si tragiques !

En ce jour de mars aux allures de novembre, Marie se rappelait la fin de leur dernière conversation :

143

« Tu es encore si jeune, ma belle Madeleine. Si promet-teuse ! Et à mon avis, tu as raison d'attendre cette fois que le prochain te fasse d'abord signe, ou bien qu'il soit para-chuté directement sur ton chemin. En plein milieu de ta route, histoire que tu ne puisses le manquer. Hein, ce serait original, ça ? Ah ! jamais deux sans trois, dit-on... »

La sonnette d'entrée la tira de ses rêveries. C'était l'ou-vrier qui arrivait, avec tout son attirail. L'heure du grand barda était venue !

Pendant que le peintre terminait de décrocher cadres et tableaux dans le bureau, après avoir transporté avec moult précautions les chaises, la fameuse table ronde et les petits meubles dans un coin du salon, Marie préparait une lasagne pour le lendemain. Madeleine devait souper avec elle ; comme son amie raffolait des mets italiens, elle y mettait tout son savoir-faire culinaire. Le lourd secrétaire principal sur le-quel trônait son ordinateur resterait dans la pièce. Il ne se-rait que déplacé au centre et recouvert d'une bâche.

« ... Euh... excusez-moi, ma p'tite dame, pardon, madame Bouchard, je viens de trouver cette enveloppe. Elle était par terre, derrière le secrétaire. Elle a dû glisser là, à un mo-ment donné. Elle est poussiéreuse, ça doit faire un bail, y a un nom dessus... »

Annie Després

En lisant le nom, écrit de sa main, Marie demeura un instant déroutée. Complètement absente. Sans vraiment prendre conscience de ce qui se passait. Le peintre la dévi-sageait, ne sachant qu'ajouter.

« Ça va-t-y comme vous voulez ? Vous avez l'air toute retournée !

144

« — ... Oui, très bien. Merci ! Ça va. Un petit trou de mémoire, fit-elle rapidement en prenant le pli qu'il lui tendait toujours, l'air penaud.

— Je comprends, faites-vous-en pas pour ça, ça m'arrive à moi aussi. OK, je retourne à mon ouvrage, chus prêt à commencer la peinture astheure.

— Parfait, oui, allez-y. »

Et là, le souvenir, qui avait complètement déserté son esprit, revint en force...

En réglant sa consultation, Annie Després avait laissé tomber par inadvertance de son sac à main un petit carton sur lequel deux boucles d'oreilles étaient encore accrochées. Dès que Marie les avait trouvées par terre, après son départ, elle avait appelé sa consultante pour l'en informer. Annie, qui ne s'en était pas rendu compte, avait confirmé que les boucles lui appartenaient, qu'elle y tenait vraiment beaucoup, que c'était un cadeau de son amoureux. Si elle ne les portait pas encore, c'est parce qu'elle devait aller se faire percer les oreilles et qu'elle n'en avait pas eu le temps. Elle avait prié Marie de les conserver précieusement, lui promettant de venir les chercher à la première occasion. Marie se revit clairement les mettre sous enveloppe au nom de sa consultante. Elle se souvint également avoir rappelé Annie, deux ou trois semaines après le premier coup de fil, ce qui devait être vers la fin juin. Marie s'était vue dans l'obligation de laisser cette fois un message sur le répondeur d'Annie.

C'est pendant l'intervalle de temps qui avait suivi que l'enveloppe avait dû glisser derrière le secrétaire, hors de sa vue, ce qui fait qu'elle l'avait complètement oubliée. Et puis les mois avaient passé, l'été avait battu son plein, elle avait cessé ses consultations et venait moins dans son bureau.

Comme Annie n'avait jamais rappelé, l'enveloppe était tombée dans la poussière de l'oubli, au vrai comme au figuré.

Les pages du calendrier avaient tourné depuis cet incident, et Marie ne se rappelait plus l'apparence des boucles d'oreilles, leur ayant à peine jeté un rapide coup d'œil auparavant. Curieuse, elle ouvrit le pli. Et là, elle demeura carrément sous le choc !

En décembre, après cette conversation au restaurant avec Mado pendant laquelle elle avait mentionné une aigue-marine retrouvée dans l'atelier de Fleury, la curiosité avait poussé Marie à faire des recherches sur le Web dès le lendemain. Elle y avait découvert que c'était la pierre des natifs de mars. Elle avait pu voir sur plusieurs images ses teintes et ses variantes de bleu de mer, y apprenant que la plus foncée égalait la plus rare, et avait donc la valeur la plus élevée. L'aigue-marine était avant tout un talisman pour les marins.

Annie était de mars, comme la fille de Fleury !

Les boucles d'oreilles étaient d'une beauté rare, d'un bleu très intense, et surtout, elles étaient taillées en forme de cœur, serties dans une fine monture en or ! Il lui semblait bien que Madeleine avait parlé de cœur, d'un bleu de mer, une teinte rare, quand elle avait décrit le pendentif. Elle se rua sur son cellulaire, se dirigea vers sa chambre et ferma la porte.

« Bonjour, ici Marie Bouchard. Je dois parler de toute urgence à l'enquêteure Bonneau.

— Je suis désolée, elle est en *briefing*. Puis-je prendre le message ?

— Dites-lui de me rappeler, elle a mon numéro. C'est vraiment très, très urgent.

— Parfait, madame Bouchard, je lui ferai la commission. Promis. »

Et elle raccrocha.

L'attente lui parut interminable, et les questions dans sa tête tournaient plus vite que les minutes sur l'horloge de la cuisine. N'arrivant plus à se concentrer, elle faisait les cent pas dans la pièce. Son cellulaire vibra, elle le prit aussitôt.

« Salut, toi ! Qu'est-ce qui se passe ? La secrétaire m'a parlé d'urgence et...

— Oui ! Je dois te voir tout de suite, la coupa cavalièrement Marie. C'est l'enquêteure que j'appelle, avant l'amie.

— Oh là, tu m'inquiètes, toi ! Qu'est-ce qui t'est arrivé ? Un cambriolage, un accident, un...

— Non, non, rien de tout cela ! la rassura Marie. C'est en rapport avec... avec Annie Després.

— ... Je ne comprends pas, quoi ? Est-ce que j'ai bien entendu Annie Després ?

— Oui, oui, la maîtresse de Fleury. Viens tout de suite, Mado, je crois que c'est très important et je préfère t'en parler de vive voix, OK ?

— J'arrive, j'arrive, ne bouge pas, je suis là dans quinze minutes. »

Ces minutes, au nombre de douze en réalité, lui parurent pourtant une éternité. Enfin, Madeleine pénétra en coup de vent dans sa maison.

« Ah, merci, mon Dieu, te voilà !

— Mais qu'est-ce qui se passe à la fin, Marie ? Mautadit, t'es toute pâle. »

Sans répondre, incapable de parler, Marie lui tendit le petit carton sur lequel étaient accrochées les boucles d'oreille. Si Marie était blême, Madeleine, elle, devint blanche à faire peur.

« Ça rime à quoi, ça ? fit-elle complètement éberluée. D'où ça vient ? Ça appartient à... Després ? Oui ! ? Je... je n'y comprends rien. C'est impossible, voyons ! Hum... Attends une minute, je vais chercher mon porte-documents. Il est dans ma voiture. »

Elle revint plus vite que l'éclair. Cette petite course l'avait fouettée et lui avait fait regagner son sang-froid, lui redonnant ses couleurs et surtout son professionnalisme. Elle ouvrit la mallette, remplie à ras bord d'expertises, de clichés, de rapports, de comptes rendus d'interrogatoires et de dépositions, et farfouilla rapidement dedans pour en sortir une photographie et une loupe.

« Regarde bien, Marie ! On dirait bien... Ouais, y a aucun doute. Ces boucles d'oreilles vont avec le pendentif que j'ai trouvé dans l'atelier de Fleury ! C'est la même couleur intense, le cœur est taillé pareil, la forme de sertissage est identique. Ils font partie d'un ensemble, c'est évident. Faudra s'en assurer, mais j'en mettrais ma main au feu. Mautadit, comment est-ce possible ? Et comment se fait-il que, toi, tu te retrouves en possession de ces boucles d'oreilles ? »

Marie, qui avait recouvré ses esprits, lui raconta en détail ce qui venait de se passer. La décoration du bureau, le peintre, l'incident de juin lorsqu'Annie avait réglé sa consultation et l'enveloppe qui avait glissé par terre par la suite...

« Moi qui me targue d'avoir une bonne mémoire ! conclut-elle, confuse. J'en reviens pas d'avoir oublié un tel détail. Surtout après avoir autant parlé d'elle avec toi ! Personne n'est infaillible, faut croire, et moi encore moins ! Mais j'ai peut-être une explication. Elle m'est venue en t'attendant. Je t'ai mentionné que Fleury était près de ses sous, craintif, avec la peur de manquer d'argent alors qu'il en avait sûrement de trop! De toute évidence, sa fille et sa maîtresse sont toutes deux nées en mars. Se pourrait-il qu'il ait acheté l'ensemble pour offrir le pendentif à Rébecca, qu'il... qu'il aimait beaucoup, disons, et les boucles d'oreilles à Annie? Il en aurait été capable, tu sais. Ça lui ressemblerait d'avoir fait ça. D'autant que c'était impossible pour elles d'en savoir quoi que ce soit. Qu'est-ce que t'en penses?

— Hum... En effet, c'est probablement ce qui est arrivé... Mais... (Il y avait certains détails qui la gênaient pour confirmer cette hypothèse, détails qu'elle ne pouvait divulguer pour l'instant.) Laissons ça. Maintenant, je vais te demander de te concentrer, Marie : te rappelles-tu avoir vu ce pendentif, celui-là même (elle pointait l'aigue-marine en cœur sur la photographie) au cou d'Annie quand elle est venue te consulter?

— ... Hum, je ne crois pas. Si elle le portait, alors c'était sous ses vêtements. Quoiqu'en juin, les vêtements sont plus légers qu'en hiver. Un chemisier ouvert... peut-être?... Non, c'est trop flou. Disons que je ne m'attarde pas à ce genre de détails en consultation! Dommage. En revanche, ce pendentif est tellement beau, et sa couleur si intense qu'il me semble, en tout cas, que je l'aurais remarqué si elle l'avait porté de façon ostentatoire le jour où elle est venue. J'aime quand même beaucoup les pierres, même si je ne m'intéresse pas à leur symbolisme! Elle n'a pas mentionné au téléphone que ses boucles faisaient partie d'un ensemble, qu'elles allaient avec un pendentif, ça j'en suis certaine, elle a juste dit que c'était un cadeau de son amoureux.

— Ouais... Va falloir que je tire ça au clair, mais comment? Je ne peux tout de même pas rappeler Rébecca, hors de question. Madame Tanguay? Hum, pas une très bonne idée. Je vais devoir mettre mon chef au courant. Je lui ai quand même relaté mon entretien d'octobre avec la veuve, et lui ai parlé de ma "visite" de l'atelier. Il a grimacé, mais, heureusement, j'étais couverte puisque Claire Tanguay m'avait donné l'autorisation. Il a aussi vu la photo du pendentif que j'ai ajoutée au dossier. Par contre, il n'est pas au courant du coup de fil à Rébecca. Aïe, c'est pas brillant, mon affaire. Une chose est sûre : on va devoir demander Michaud en renfort ; il appartient à l'escouade des crimes majeurs de Chicoutimi. C'est un pro, j'adore travailler avec lui. »

Elles gardèrent le silence pendant de longues minutes, fixant les boucles d'oreilles, chacune suivant le cours tumultueux de ses pensées.

« Mado, là, c'est à l'amie que je parle. Mon pressentiment était juste.

— Pardon ?... Quel pressentiment ? Juste... par rapport à quoi ?

— La raison des lettres *M. B.* dans les deux agendas des victimes. Nos initiales. C'est ici même qu'Annie a perdu ce cadeau précieux ! Cette découverte, qui sait, amènera peut-être des réponses à certaines questions, ou réorientera l'enquête dans une nouvelle direction. Et voilà que je le retrouve chez moi, en mars... Aïe ! Torpinouche ! Dieu du ciel !

— Quoi ? Quoi encore ? Tu me fais peur, Marie Bouchard ! Déjà que ton *M. B.* me donne des sueurs froides ! »

Elle se souvenait de ce qu'elle-même avait pensé en prenant place dans sa voiture, après leur premier entretien : *Une autre M. B. ne sera pas de trop pour résoudre cette affaire !*

En coup de vent, Marie se leva, puis se rua vers son bureau. Elle retira prestement la bâche du secrétaire et la jeta par terre, au grand dam du peintre, bousculé au passage. Il la trouva bien dérangeante, et pas du tout respectueuse. Choqué, il se contenta de bougonner dans sa barbe : « C'est pas défendu de s'excuser... » Sans rien entendre, Marie revint au salon, l'air plutôt triomphant, une feuille dans la main.

« Tu ne voudras pas le croire, Mado. »

L'enquêteure reconnut là la carte de la terre que Marie avait utilisée à leur première rencontre. Il ne lui fallut que quelques secondes pour comprendre son manège.

« Non, dis-moi que je rêve, là ? Pas trop en même temps, s'il te plaît ! C'est juste pas possible. C'est quelle date aujourd'hui ? Ah, le 11, ouf !... Non attends, plutôt le 13... (Nerveuse, voyant que Marie gardait un silence religieux et sérieux, elle se décida à vérifier la date sur son cellulaire par acquit de conscience.) Merde, nous sommes le 12 !

— Oui, ma chère amie enquêteure avec un *e*, le 12 mars, confirma Marie Bouchard d'un air entendu, Annie Després fêterait ses 48 ans aujourd'hui même ! Souviens-toi juste de ce que tu m'as dit il n'y a pas si longtemps : *Le hasard a si peu de place dans notre vie, finalement.* »

Alexis Trottier

Quand la porte se referma, en cette fin d'après-midi de mars, Alexis poussa un énorme soupir de soulagement. Même les pleurs et les cris déchirants d'Olivia ne remuèrent pas sa fibre paternelle, probablement désensibilisée par l'usage excessif qu'il en avait fait récemment. Il entendit sa mère calmer Olivia :

« Voyons, mon ange, il ne faut pas pleurer. Regarde ton petit frère, il est sage comme une image ! Papa a beaucoup travaillé ces dernières semaines et il a besoin d'un peu de repos, lui aussi. Tu verras, nous nous amuserons beaucoup et...

— Je veux voir maman, je veux pas te voir, toi, ni grand-père ! Pourquoi toutes les grandes personnes sont TOUTES fatiguées, maudit ?

— Oh, là, pas nécessaire de dire des gros mots ! gronda-t-elle l'enfant pour se reprendre aussitôt avec douceur. Je sais, c'est pas toujours facile à comprendre, mais ta maman se rep... »

Et le reste se perdit dans la cage d'escalier.

Alexis se demanda ce qu'il ferait sans ses parents. Nul besoin de quémander quoi que ce soit, son père et sa mère prenaient les devants. Probablement parce qu'il était «responsable», et qu'il n'abusait pas de leur gentillesse et de leur grand cœur. La semaine précédente, lorsqu'il était venu souper à la maison familiale avec les enfants, sa mère, si perspicace, avait noté les cernes sous ses yeux, son teint blafard, ses épaules affaissées. C'est pourquoi elle lui avait offert de prendre les petits pour trois jours, la fin de semaine suivante. Le temps qu'il récupère. Il avait accepté, le cœur plus léger. C'est vrai qu'il se sentait au bout du rouleau.

«Prends-toi lundi de congé, tu le mérites, mon grand, et nous te ramènerons les enfants ce jour-là, en soirée...»

Il avait suivi le conseil de sa mère, ce qui fait qu'il avait devant lui trois journées pour récupérer et faire le plein d'énergie! Et, cette fois, il n'avait même pas la force de se sentir coupable. Depuis sa séparation, Alexis, le mari de Rébecca Fleury, vivait l'enfer sur terre. Un monde noir, peuplé de solitude et de tourments. Un monde dont il ignorait jusque-là les confins. En fait, Hadès avait ouvert grand ses portes quelques mois auparavant, le jour du suicide de son beau-père, pour ne plus les refermer. La garde des enfants ne lui causait aucun problème, il s'en était toujours occupé depuis leur naissance et il connaissait parfaitement toutes leurs routines, leurs amis, leurs besoins et leurs jeux préférés. Mathias avait 7 ans et Olivia, 10. Son garçon paraissait peut-être sage comme une image aux yeux de sa grand-mère, n'empêche qu'il l'inquiétait davantage que l'aînée. Depuis le départ de sa mère, Mathias était devenu quasi muet, souriait rarement, riait encore moins et restait prostré parfois pendant de longues minutes, l'air hagard. Alexis préférait les pleurs et les cris d'Olivia au silence quasi pathologique de son petit dernier. Il comprenait Rébecca de s'être volontairement éloignée des enfants et il ne lui en tenait pas rigueur. Vu son état dépressif, attendu le désintéressement et l'abandon total de ses responsabilités familiales, c'était la seule, et la meilleure chose à faire.

Ce qui lui causait un problème et le tourmentait se résumait à une question : pourquoi s'éloigner aussi de lui ? Il ne demandait qu'à la soutenir, l'épauler, l'écouter, l'accompagner dans cette phase difficile.

Il se faisait un sang d'encre pour elle, car elle allait de mal en pis. Elle avait dû être hospitalisée à Noël, on l'avait gardée deux semaines dans l'aile psychiatrique. Elle avait refusé de le voir, lui, et aussi sa mère. Lors de sa deuxième hospitalisation, à la fin février, le psychiatre avait été très clair : dans l'état où elle se trouvait, on pouvait craindre le pire ! Elle devait être étroitement suivie.

« Elle va quand même pas faire comme son père ! s'était écrié Alexis, désemparé, avec dans la voix une rage d'impuissance à faire pleurer le plus endurci. Elle a deux jeunes enfants qui l'attendent, et moi qui l'aime comme un fou ! Qui va la surveiller, hein, dites-moi ? Elle ne veut rien savoir de sa mère et elle me tolère à peine !

— Je comprends votre tourment, monsieur Trottier, mais pour le moment, elle vit coupée du monde, incluant tous ses proches, malheureusement. Je vous suggère d'insister et de l'appeler chaque jour, dès sa sortie. Ses amis pourraient en faire autant et ainsi vous serez assurés de vous relayer plusieurs fois dans la journée... »

Fort heureusement, Rébecca acceptait de lui parler au téléphone chaque jour. Et tous les autres, amis ou collègues de travail, rappelaient Alexis dès qu'ils avaient pu s'entretenir avec Rébecca. La chaîne fonctionnait bien et soulageait un peu Alexis de ses angoisses. Quant aux enfants, elle leur parlait seulement dans ses meilleurs jours, trop peu nombreux, hélas.

« Se couper du monde », voilà ce dont il avait besoin, lui, maintenant ! Tout oublier pour quelques jours. Histoire de reprendre des forces, de ne pas succomber au découragement. Olivia et Mathias avaient besoin de lui. Il devait se changer les idées. Pour y parvenir, il lui fallait partir, s'éloigner. Il passa à la cuisine, ouvrit le frigo, se servit une bière. Puis, il revint à son bureau et se mit à l'ordinateur à la recherche d'un endroit où aller. Pourquoi pas un forfait de ski tout inclus, avec hébergement, repas... La totale, quoi !

Le téléphone sonna. Il décrocha. La conversation fut brève.

« Eh maudit ! » lâcha-t-il, après avoir reposé le combiné.

Décidément, les dieux n'intercédaient pas en sa faveur. Les démons avaient la peau dure et persistaient à le garder dans leur monde de folie. Il venait de promettre de rester à la maison et d'attendre sa visite. Aurait-il pu refuser ? Non, pas vraiment puisqu'elle avait parlé d'enquête en cours... En cours de quoi ? Il ignorait même qu'il y avait eu une enquête ! Elle se trouvait à Québec, elle serait là dans une demi-heure, tout au plus. Il réalisa qu'elle ne lui avait pas demandé ses coordonnées. Elle n'avait aucune idée du temps que leur entretien prendrait. Il était donc préférable de remettre son départ à tard dans la soirée, voire au lendemain matin. Mais, bon Dieu, que lui voulait-elle, à lui ? Fleury n'avait été que son maudit beau-père, après tout !

***

Ils se tenaient face à face, dans le salon. Contrairement à ce qui se véhicule dans les films, du genre *jamais en ser-*

156

vice, merci, Madeleine Bonneau avait accepté la bière qu'il lui avait proposée. Soulagé, Alexis se dit que ça ne devait pas être si sérieux ou officiel, après tout.

« Est-ce que Rébecca va mieux, monsieur Trottier ? »

La question le prit de court et lui ramena sa nervosité aussi vite qu'un orage qui éclate sans prévenir. *Elle sait que ma femme va mal ? Pourquoi ça l'intéresse ?*

« Ben, non, pas vraiment. On s'inquiète beaucoup pour elle, enfin, moi surtout, mes parents, ses amis, ses collègues de travail également. Olivia et Mathias en savent le moins possible.

— Et sa mère, non ?

— J'en sais rien, lâcha Alexis, froidement. On ne se parle plus depuis juillet dernier. Elle prend jamais de nouvelles des enfants avec moi, et c'est pas avec Rébecca qu'elle peut en avoir !

— Vous m'en voyez désolée.

— Ne le soyez pas, parce que je ne le suis pas, moi ! J'ai besoin de tout le monde, sauf d'elle.

— Je parlais de votre femme.

— Ah, pardon, j'avais compris que... Excusez-moi.

— Je vous en prie. Vous devez vous demander ce qui m'amène.

— Pour dire vrai, je ne savais même pas qu'une enquête sur la mort du beau-père avait été ouverte. Ça se fait dans les cas des suicidés ? Faut croire que oui ! Mais qu'elle le soit encore après tout ce temps m'étonne davantage. Et je vois pas pantoute ce que je pourrais vous apprendre. J'ai jamais compris qu'un gars comme ça puisse s'enlever la vie, par contre, et Rébé, elle, elle l'admet juste pas.

— Rébé ?

— Scusez, Rébecca.

— Ah, OK. Mais ne vous en faites pas à savoir si vous serez utile ou non à l'enquête, laissez-moi en juger, monsieur Trottier.

— Appelez-moi Alexis, j'aime mieux ça. Ma foi, c'est vous qui savez.

— Bien. Alexis, voici donc ma première question : connaissez-vous l'existence d'un bijou, une aigue-marine, que Michel Fleury a offert à Rébecca l'année dernière, pour son anniversaire, je crois ? »

L'enquêteure, à l'affût, nota le changement chez son vis-à-vis. Pas besoin d'être flic pour s'apercevoir que la question, pourtant toute simple, avait complètement déstabilisé son interlocuteur. La main d'Alexis avait tremblé en reposant sa bière sur la table de salon. Il était devenu inquiet, montrait des signes de nervosité. Un peu de sueur perlait sur son front alors qu'il faisait frais dans la pièce.

« ... Pourquoi voulez-vous savoir... ça ?

— Pourquoi me répondez-vous par une interrogation, Alexis ? Ce n'est pas sorcier, il me semble, comme question. Étant donné que vous êtes le conjoint de Rébecca et qu'à cette période, vous viviez ensemble...

— Peut-être pas sorcier, comme vous dites, mais pourquoi vous ne l'avez pas demandé à Rébecca ? C'est elle qui est concernée, pas moi. »

Madeleine ne comprenait pas bien les réticences du mari de Rébecca Fleury à répondre.

« Je l'ai déjà fait, Alexis.

— Et ?

— Et... quoi ? Arrêtez ce petit jeu, monsieur Trottier, ou je serai contrainte de vous sommer pour un interrogatoire en règle. Et à Alma, en plus !

— OK, OK, fâchez-vous pas. Les nerfs, les nerfs... (Il disait ça plus pour se calmer, lui, que son interlocutrice.) Chus un peu tendu ces temps-ci, faut me comprendre, avoua Alexis très péniblement, en déglutissant. J'ai la garde à plein temps des petits, chus à boute, s'tie! »

Le comportement étrange de cet homme éveilla la curiosité de la policière, qui devint de plus en plus attentive à ses réactions. Il y avait anguille sous roche et elle ne partirait pas de cet appartement sans avoir découvert ce qu'Alexis Trottier cachait. Car il cachait bien quelque chose, mais quoi?

« Oui, Michel Fleury a offert cette pierre de naissance en cadeau à Rébecca. C'est exact, madame », récita-t-il d'un trait, tel un écolier pris en faute.

Il avait parlé les dents serrées, comme si les mots heurtaient sa bouche.

« Très bien, vous voyez bien que ce n'était pas si compliqué! Et qu'est-il arrivé à cette pierre... s'il vous plaît? »

La rougeur envahit le visage du jeune homme, comme si l'on venait de le lui mettre au-dessus d'un feu ardent. Jamais Madeleine n'avait pu constater un tel état de gêne et de malaise subits chez une personne. Qu'est-ce qui était en train de se passer?

« Vous sentez-vous bien, Alexis?

— Ouais, j'ai chaud. Très chaud... Pas vous?

— Non, ça va très bien. Vous devriez boire un peu d'eau, vous êtes peut-être déshydraté?

— Ouais, bonne idée, attendez-moi une minute. »

Alexis paraissait avoir retrouvé un semblant de calme et de maîtrise quand il revint au salon après quelques minutes. En un éclair, Madeleine crut comprendre d'où pouvait venir le désarroi évident d'Alexis. Avait-il été le confident de Rébecca quant à une relation père-fille inavouable, et, si oui, se demandait-il s'il se verrait dans l'obligation de dévoiler ce qui ne devait pas l'être ?

« Donc, je vous repose la question : qu'est-il arrivé à cette pierre ?

— J'en sais rien, moi, elle l'a juste égarée, point, répondit-il laconiquement, le regard fuyant.

— Bien, très bien. Pourriez-vous me parler de ce cadeau ? Il était vraiment très précieux pour Rébecca. Le perdre lui a semblé un funeste présage, et à raison, vu la suite des événements. Elle m'a dit qu'elle ne voulait plus retrouver cette pierre par contre. Pourquoi, à votre avis ?

— Écoutez, je comprends franchement rien à vos questions ! J'en vois pas la pertinence en tout cas ! Elle a reçu un cadeau de son père, oui. Sa pierre de naissance, oui. Elle l'a perdue peu après, encore oui. Elle y a vu un mauvais signe, oh ça, s'tie, oui ! Elle l'a cherchée comme une dingue pendant des semaines, encore OUI, OUI ! Mais c'est quoi le maudit rapport avec le suicide du paternel ? »

Cette exaspération était on ne peut plus suspecte. Pas démontée pour autant, l'enquêteure, aguerrie à ce genre de réaction, alla à la pêche.

« Nous savons que Rébecca et son père étaient très... liés. Très... proches.

— Pour ça oui, ils l'étaient », consentit Alexis, d'une voix adoucie, sans aucune animosité dans le ton.

Ce qui surprit et déstabilisa Bonneau, qui opta pour une nouvelle tactique.

« Nous sommes au courant des graves problèmes de santé mentale de votre femme depuis le suicide de son père. Je sais personnellement, pour lui avoir moi-même parlé au téléphone en octobre dernier, qu'elle ne veut plus retrouver cette pierre, ni ne souhaite entendre parler de son père. Si je ne me suis pas adressée de nouveau à elle, cette fois-ci, c'est parce que, selon son psychiatre, mes révélations pourraient lui causer un choc psychologique supplémentaire et...

— Vos révélations ? Vos révélations concernant quoi ? Et vous avez parlé à son psychiatre, vous ?

— Eh bien concernant cette aigue-marine, quoi d'autre ?

— Hein ? »

Alexis demeurait les yeux écarquillés, complètement éberlué. Il avait l'impression d'errer dans un labyrinthe, perdu, sans espoir d'en sortir. Il ne comprenait pas où voulait en venir l'enquêteure.

« Par le plus grand des hasards, confessa Bonneau, tout aussi déboussolée (elle avait la vague impression que chacun parlait une langue étrangère que l'autre ne comprenait pas), j'ai moi-même retrouvé la pierre et...

— VOUS ?... Vous avez retrouvé l'aigue-marine que Rébecca a perdue ?! l'interrompit Alexis d'un air circonspect, et soudain très ironique. (C'était plus une constatation qu'une question, de noter Bonneau.) J'ai mon hostie d'voyage ! ne put-il s'empêcher d'ajouter, les yeux levés au ciel.

— Oui, parfaitement, moi ! Pourquoi vous mentirais-je ? Et vous savez où je l'ai retrouvée ?

— J'aimerais bien le savoir, oh ! ça oui ! » railla Alexis, sourire en coin, l'air de celui qui croyait à une grossière plaisanterie.

En entendant ce ton railleur, cette soudaine suffisance, Bonneau se dit un instant que Trottier n'avait sûrement pas toute sa tête. Peut-être avait-il fumé un joint avant qu'elle n'arrive ? Beaucoup de trentenaires gardaient cette petite manie de leur adolescence. Histoire de décompresser vu que ses parents s'occupaient de ses enfants, comme il le lui avait mentionné au téléphone. Avec la bière, ça pouvait devenir un cocktail surprenant...

« Exactement là où son père s'est suicidé, dans l'atelier, par terre. »

Alexis se leva d'un bond comme s'il venait d'être piqué par une abeille. Il resta debout, l'air penaud, perdant d'un coup toute son attitude arrogante. Il semblait carrément dépassé par la tournure que prenait cet entretien.

« Vous comprenez, reprit l'enquêteure qui peinait à décoder les réactions du jeune homme, si Rébecca apprenait ce détail macabre, cela accentuerait grandement son extrême mal-être, et accroîtrait son sentiment de culpabilité d'avoir égaré la pierre, enfin, pas besoin de vous faire un dessin. Toutefois... euh... comment dire... »

Il était temps d'éclaircir un peu la situation et surtout de réaligner le fil de cette conversation, passablement décousu !

« Récemment, de nouveaux éléments nous sont parvenus, et ils concernent le père de Rébecca. Ces éléments nous obligent à certaines vérifications, dont celle-ci. Ce que je peux vous dire est ceci : en mars de l'année dernière, Michel Fleury a donné à une... une autre personne que son épouse un cadeau du même genre que celui offert à Rébecca. J'aurais simplement besoin, Alexis, de vous montrer une photo de l'aigue-marine retrouvée dans l'atelier et que vous confirmiez s'il s'agit bien de celle de Rébecca. Point à la ligne. »

L'enquêteure poussa un soupir de soulagement, croyant avoir remis les pendules à l'heure juste.

« Par *autre personne*, vous parlez sûrement d'une poule. OK, ouais, scusez, d'une maîtresse ! Hum, votre silence en dit long... J'ai juste un conseil à vous donner, madame

Bonneau : perdez pas vot' temps, surtout qu'il est payé par des contribuables comme moi !

— Quoi ? Vous vous foutez de moi là, ou quoi ? Je n'ai pas été assez claire tantôt ? Je vous rappelle, monsieur Trottier, que je suis en train de vous interroger dans le cadre d'une enquête policière d'une très grande import...

— Si je vous ai suggéré de ne pas perdre votre temps, s'tie, c'est parce que vous êtes en train de le perdre ! s'écria-t-il, soudain hors de lui, oubliant toute réserve.

— Bon, bon, on se calme, là. Tous les deux, OK ? (Elle prit elle-même une longue respiration pour retrouver son sang-froid.) Dites-moi en quoi je LE perds, mon temps ? L'enquête a besoin de confirmer, mieux... d'authentifier la pierre. C'est aussi simple que ça ! C'est quand même pas chinois, ce que je vous demande là ! Vous préférez que j'interroge de nouveau Rébecca ? Très bien, aucun problème, mais je vous aurai prévenu des possibles conséquences pour elle.

— NON ! hurla-t-il, pris d'une réelle panique à l'idée que Rébecca... Non, s'il vous plaît. Faites pas ça, la supplia-t-il, d'un ton pathétique. Ce serait une... une erreur stupide ! OK, OK, je vais tout vous dire, s'tie ! »

Son regard fuyant exprimait de la frustration, mais aussi de la peur mêlée à une incompréhension totale. Il agissait comme un homme qui se retrouve au pied du mur ! Mais quel mur ? Madeleine se sentit mal à l'aise, elle ne tenait pas particulièrement à entendre des confidences qui auraient dû rester secrètes. Mais pourquoi avait-il l'air soudain si fautif, si coupable ? Ce n'était tout de même pas de sa faute si Fleur...

Elle s'attendait à tout, sauf à ce qui suivit.

« Pas la peine d'ouvrir votre mallette. J'ai pas besoin de voir votre photo, madame l'enquêteure de police. Je peux vous jurer sur la tête de mes deux enfants que c'est pas l'aigue-marine de Rébecca que vous avez retrouvée dans l'atelier de Michel Fleury.

— ... Quoi ? Comment ça ? s'exclama Bonneau, au comble de l'étonnement. Comment pouvez-vous en être si sûr, vous n'avez même pas encore regardé la photographie de... »

Faisant fi de ce qu'elle lui disait, Alexis se leva péniblement, comme s'il portait le poids du monde sur ses épaules. Il se dirigea vers une autre pièce et revint peu après, la main droite refermée. Tous ses muscles semblaient tendus à se rompre. Paume vers le haut, il desserra lentement ses doigts, une fois devant Bonneau. Elle y découvrit une aigue-marine, d'un bleu délavé, en forme de triangle arrondi.

« Voilà l'aigue-marine qui appartient à ma femme, Rébecca Fleury. Elle en forme de *troïda*, c'est ainsi qu'on dit quand les pierres sont taillées en triangle. Une aigue-marine tout ce qu'il y a de plus banal, vous savez ! Je ne sais pas à qui est celle que vous avez trouvée dans l'atelier du beau-père. »

Il s'assit de nouveau, finit sa bière d'un trait et commença à parler. Au fur et à mesure de sa confession, il devint plus serein, car libéré d'un poids immense.

« Faut me comprendre, j'ai pas fait ça pour mal faire ! Rébé était folle de joie quand son père lui a fait ce cadeau. Dès notre retour du Lac, elle a couru au magasin pour se procurer une chaîne en argent pour le porter en pendentif. Voyez, y a un petit trou dans la pierre pour y glisser un anneau. Fleury avait même pas été foutu de la lui donner en cadeau ! Faut le faire ! Plus séraphin que ça, tu meurs, s'tie !

« Elle ne mettait plus aucun autre bijou, délaissant tous ceux que je lui avais offerts. Même si, de toute évidence, celui-ci était d'une qualité médiocre. C'est à cause du bleu pâlot ridicule ! Vous avez vu la couleur ? Faut comprendre que plus elles sont foncées, les aigues-marines, plus elles sont rares, et coûtent cher. C'est loin d'être le cas de celle-là. Je le sais, car je rêve depuis qu'on s'est rencontrés d'en offrir une super belle à Rébé pour sa fête, et j'ai fait des recherches à ce propos. C'est un peu son dada, les bijoux et aussi les pierres. Comme beaucoup de filles, je crois. Saviez-vous qu'en plus de protéger les marins, l'aigue-marine est un symbole de fidélité entre jeunes mariés et de mariage heureux ?... Ouais, c'est chouette, non ?

« Comme je vous ai dit tantôt, ils étaient très proches, complices, et tout, mais la relation était plus fille-père que père-fille : c'était à sens unique, si vous voulez le fond de ma pensée.

— Continuez, je vous écoute.

— Rébé l'aimait beaucoup, mais lui... bof, c'est dur à dire, pas autant, et surtout pas comme elle le croyait, elle. Chez lui, ça semblait forcé, pas spontané en tout cas. Je ne l'ai jamais vu lui faire la bise ou une accolade, lui, le premier. Ce qui me choquait, et me désespérait le plus, était que Rébé refusait de voir son père tel qu'il était : un coureur de jupons, un don Juan, un être narcissique, un menteur, un manipulateur, un profiteur, un séraphin... Chus pas tendre envers lui, mais c'est pas parce qu'il est mort que je vais changer mon opinion ! Il ne semblait pas avoir de conscience, ce bonhomme-là. J'ai essayé plusieurs fois de parler à Rébé des frasques de son cher père, mais elle se cabrait chaque fois. Elle affirmait que c'était des racontars, des commérages auxquels nous ne devions pas porter foi. S'tie, si

165

elle savait que je l'ai surpris qui *frenchait* sa secrétaire en lui empoignant les fesses ! Bref, moi, je crois que Fleury prétendait aimer sa fille en l'éblouissant pour la rendre aveugle. Comme un paon qui fait la roue, ni plus ni moins. Pour lui, Rébé était juste, comment dire, une autre de ses nombreuses conquêtes féminines. C'est triste à dire, mais c'est ça. Et, ce qui n'était pas à dédaigner, Rébé était une source inestimable d'intérêt, tant artistique que pécuniaire pour lui.

— Intérêt ? Que voulez-vous dire, Alexis ?

— Ben, sa prétendue affection était de nature intéressée. Fleury avait beaucoup de talent pour travailler le bois, c'est indéniable. Je ne nierai jamais ça. Mais il n'avait pas l'aspect créatif de la chose. Il n'arrivait pas à concevoir ou à inventer des objets ou des meubles originaux. Et il ne possédait pas l'art de la touche finale : ce qui fait toute la différence entre le très beau, le très original, l'unique et juste le beau. C'est Rébé qui faisait ces boulots pour lui, la conception, la finition. C'était elle la créatrice, et moi je trouve qu'il abusait d'elle dans ce sens.

« Il était conscient que je savais tout ça, ce qui fait que monsieur n'appréciait pas trop ma présence. Rébé l'idéalisait beaucoup. Beaucoup trop. Et je craignais qu'un jour ou l'autre, elle le voie sous son vrai jour, qu'elle découvre sa vraie nature et qu'elle en soit bouleversée, désillusionnée, meurtrie. Elle est très sensible, très fragile émotionnellement. Son état actuel me prouve que j'avais raison, non ? Elle a toujours pallié le manque d'amour et la totale indifférence de sa mère en se faisant croire que son père l'aimait "pour deux" et qu'il avait, lui, vraiment besoin d'elle. Alors quand il s'est suicidé, elle s'est sentie trahie, abandonnée. Désormais orpheline d'un père qu'elle vénérait...

— Parlez-moi de votre belle-mère.

— Hum, pas longtemps. Le poil me hérisse juste à y penser. Si Fleury avait pas de conscience, Claire Tanguay, elle, a aucun sentiment pour personne : *nada*, que dalle, *NOTHING*, zéro, rien pantoute ! Son mari, sa fille, moi, ses petits-enfants inclus. Tout ce qui l'intéresse dans la vie, c'est le ménage pis la lecture. Là, elle doit être aux anges, madame la *reine du foyer*, elle peut s'adonner tout son soûl à ses deux passions sans être dérangée par personne. Une vraie maniaque du contrôle, c'est elle qui devrait être soignée, pas sa fille. S'tie que le monde est mal faite des fois ! Elle n'a pas vu ni demandé à voir ses petits-enfants depuis juillet dernier, vous savez. »

L'enquêteure nota mentalement cette remarque acerbe au sujet de Claire Tanguay, d'autant que les jugements d'Alexis lui paraissaient plutôt conformes à la réalité.

« N'est-elle pas venue rendre visite à Rébecca à l'hôpital en décembre ? »

Ouais, y sont drôlement bien renseignés, mais pourquoi donc ?

« ... Euh, oui, mais Rébé a refusé de la voir. La belle-mère a prétendu être "toute remuée par ce refus incompréhensible de sa chère fille" et n'être pas assez en forme pour faire un saut, ne serait-ce que pour embrasser les petits. Elle m'a remis un billet de cent piastres pour leur acheter des cadeaux de Noël, pis elle a repris l'autobus aussitôt ! On peut-tu revenir à Fleury maintenant ? ... OK, merci.

« La collaboration entre Rébecca et son père s'étendait très loin, vous savez. Mais c'était un homme sans scrupules, mon beau-père, ça fait qu'il empochait tout seul l'argent de "leur" travail sans aucun remords de conscience. Très souvent, il l'appelait et lui demandait de venir : il avait "besoin d'elle". Alors, on y allait régulièrement, minimum deux fins de semaine par mois, aux congés et aux fêtes aussi, et chaque fois, elle passait tout son temps à bosser avec lui dans l'atelier ! Au prix de l'essence maintenant, ben, ça faisait beaucoup de frais ! Un soir, on a eu une discussion orageuse à ce propos. Je lui ai lancé qu'elle en faisait trop pour lui, qu'il profitait d'elle, qu'elle devait exiger au moins qu'il la rétribue d'une certaine façon. Qu'il paye nos dépenses pour venir ! Je n'ai pas osé soulever le partage des bénéfices des ventes avec elle, même si j'en ai eu envie ! Je ne disais pas ça pour le fric, on gagne bien notre vie, mais question de respect et d'équité, et aussi pour mettre les choses en perspective ! Et pour une première fois en huit ans de mariage, on s'est couchés sans se dire bonne nuit. Dos à dos. J'étais malheureux comme les pierres, j'étais allé trop loin.

« Le matin, Rébé s'est réveillée avant moi, et a elle pris sa douche. Quand j'ai ouvert les yeux, j'ai vu près de son oreiller la fameuse aigue-marine. Elle s'était décrochée de sa chaîne pendant la nuit. Je ne sais pas ce qui m'a passé par la tête, j'ai pas réfléchi. Je l'ai attrapée et je l'ai cachée dans mon portefeuille qui était dans une poche de mon pantalon sur une chaise. Avec l'idée de lui redonner plus tard. C'était enfantin de ma part, puéril au boutte ! Mais ce geste m'a fait du bien, j'ai eu l'impression de couper le lien de l'emprise qu'il avait sur elle ! Et vous connaissez la suite...

— Ça s'est passé à quelle période tout ça ?

— Début mai ou la mi-mai, par là. Sûr, j'ai été pas mal sonné quand son père s'est suicidé, ce qui donnait raison à Rébecca pour le présage. Je me sentais un peu mal qu'elle croie ça, sachant fort bien, moi, qu'elle ne l'avait pas perdue, sa foutue pierre. D'ailleurs, je comptais bien la lui rendre un jour. Mais elle ne la veut plus. Plus tard, peut-être ? Aujourd'hui, c'est bizarre à dire, mais j'ai le sentiment que même si elle est bon marché, et qu'elle vient du beau-père, cette aigue-marine que je traîne avec moi me relie à elle. C'est comme une bouée qui sauve notre couple d'une noyade annoncée : les deux symboles de cette pierre, réunis ! S'tie que la vie envoie des signes tordus des fois.

— Eh bien, si je m'attendais à ça ? ! » ne put que constater Bonneau, ébahie, une fois la confession terminée.

Le silence se fit. Et chacun s'y blottit, quelques instants.

« Une aut' bière ?

— Oh oui, avec plaisir », fit l'enquêteure, peu soucieuse des conventions.

Ça alors, ça remet tout en question ! Le dossier va peut-être être officiellement rouvert. Mais qu'est-ce que ça signifie, mautadit ? La pierre appartient à Després, sans l'ombre d'un doute, désormais ! Mais comment se fait-il qu'elle se soit retrouvée sur le plancher de...

Le cours de ses pensées fut interrompu par le retour de Trottier qui paraissait à présent serein et détendu. Il adressa un large sourire à l'enquêteure qui le lui rendit. C'était un homme gentil de nature et fort sympathique.

Il n'était ni utile ni approprié au vu de l'enquête de lui demander si, selon lui, il y aurait eu un autre genre « d'abus » envers Rébecca.

« Vous savez, madame la policière, je voudrais être clair sur un point, enfin disons... plus précis. J'ai parlé d'abus tantôt. Allez pas vous faire des idées, là ! Fleury a jamais abusé de sa fille, *abusé* dans le sens qu'on l'entend des fois. Rébé m'en aurait parlé, elle était incapable de me cacher quoi que ce soit. On s'est juré de tout se dire, de n'avoir aucun secret l'un pour l'autre. Et on a tenu promesse jusqu'ici. En revanche, il a abusé à fond de son talent d'artiste, ça oui ! »

Bonneau resta sidérée, puis soulagée, de la concomitance de leurs pensées.

« Je vous crois. Merci de me l'avoir précisé. J'aurais une dernière question, Alexis.

— Allez-y, j'ai tout mon temps. Y est, comme qui dirait, trop tard pour partir astheure, fit-il, en lui décochant un clin d'œil.

— Lorsque j'ai eu l'occasion de... de revisiter l'atelier de Fleury en octobre, j'ai noté qu'il travaillait sur une sorte de coffret. Est-ce que vous savez si Rébecca aurait contribué à...

— Ouais, je m'en souviens, elle a participé à l'élaboration du concept et de la finition de ce coffret comme à pratiquement tout ce que soi-disant il *créait lui-même du début à la fin*. C'est exactement ce qu'il prétendait ! Méchant moineau, hein ? C'est pas moi qui vais le pleurer, ce maudit menteur !... En fait, c'était un écrin. Attendez, j'y pense, je crois qu'un croquis du couvercle traîne encore par là. Elle se préparait justement à le lui montrer à notre prochaine visite fin juillet, mais il est mort avant. Rébé me demandait toujours mon avis », ajouta-t-il, l'air soudain triste et malheureux.

Sa femme lui manque désespérément.

Il revint quelques secondes après et tendit le dessin à l'enquêteure. C'est elle, cette fois, qui changea du tout au tout. Elle but une grande rasade de bière, comme si elle avait été propulsée dans un désert, vitesse grand V, sans eau et sans oasis en vue !

« Aïe ! fit Alexis. On dirait que vous venez de voir un fantôme.

— ... On pourrait dire ça, oui ! confirma l'enquêteure. (Professionnelle, elle reprit rapidement contenance.) Savez-vous à qui ces initiales correspondent ?

— Non, désolé. Aucune idée. Juste que c'était pour une vieille tante à lui, c'est ce qu'il a dit à Rébecca ! C'est très beau, je trouve, hein ? L'entrelacement des lettres, des fleurs et des volutes. Ah, ma Rébé a tellement de talent !

— Vous pouvez être fier d'elle, c'est vrai qu'elle est talentueuse. Puis-je garder ce croquis ? J'en prendrai soin et je vous le remettrai, soyez-en assuré.

— Pas de problème, si ça peut faire vot' bonheur ! Il ne servira plus à Fleury, ça c'est officiel et c'est tant mieux. À mon tour de... vous poser une question ?

— Allez-y, je vous écoute.

— Est-ce que je peux voir la photo de l'autre aigue-marine ?

— Pourquoi pas, puisque je m'apprêtais à vous la montrer de toute façon.

— Aïe ! Celle-là, elle doit valoir un paquet, j'en suis certain, rien qu'à la couleur, au sertissage. Des milliers de beaux billets, madame ! Dire que celle de Rébé a dû coûter à peine quarante piastres ! Le petit cœur... ouais, l'or... Vous avez exclu ma belle-mère tantôt ; de toute façon je savais déjà qu'elle ne possède ni ne porte de bijoux, excepté son alliance. Alors ? ... Ouais, vous restez muette comme la tombe. OK. J'insisterai pas.

— Merci de votre compréhension, Alexis. Il y a des éléments que nous devons parfois retenir au cours d'une enquête pour ne pas entraver son bon déroulement. Je vous demanderais de garder notre entretien confidentiel pour le moment, de n'en parler à quiconque, particulièrement à Claire Tanguay. OK ? Parfait. J'ai assez abusé de votre temps », constata Bonneau en reprenant la photo.

À la porte, avant de partir, elle se retourna :

« Confiance, Alexis. Ne perdez pas espoir, je suis certaine que Rébecca reviendra saine d'esprit, à vous et à vos deux enfants. Ils sont très beaux, je les ai aperçus sur une photographie dans le salon.

— Merci, madame Bonneau. Je prends tous les encouragements qui passent. Merci d'être venue. Vous ne pouvez pas savoir à quel point votre visite m'a fait du bien, finalement. Je me sens tellement plus léger, et je crois que je vais pouvoir profiter à fond de ce congé.

— Oh, ça, je le sais et je sais aussi que je n'ai pas perdu mon temps ce soir, croyez-moi sur parole ! lança-t-elle d'un air complice. Oh... j'oubliais ! Dernière petite question. Est-ce que Rébecca avait parlé de la perte de sa pierre de naissance à sa mère ? Lui avait-elle demandé de la chercher dans la maison familiale ?

— Oh que oui, et pas juste une fois ! À elle, pis à TOUT le monde qu'elle connaissait ou chez qui elle avait pu se rendre. Par contre, je doute que Claire Tanguay ait jamais vu le bijou en question.

— Ah bon ? Pourquoi dites-vous ça ? fit l'enquêteure, encore sous le coup d'une autre révélation qu'elle devait gérer à la seconde près.

— Ben, Rébé aurait pu avoir des piercings aux sourcils, aux narines ou sur le bout de la langue que la belle-mère aurait rien vu ! Ensuite, parce que j'ai entendu Rébé le décrire à sa mère au téléphone, lui donner patiemment sa couleur, sa grosseur, sa forme triangulaire aussi, et cela plus d'une fois !

— Eh bien, voilà qui me paraît complet ! Je vous laisse, encore merci pour tout et, surtout... *bonne chance, Alexis* ! »

Casse-tête

Bonneau, Michaud et Pronovost se faisaient face. Depuis trois heures, dans le bureau désordonné du patron où de l'encens brûlait, laissant flotter dans l'air un arôme subtil de printemps, ils épluchaient les dernières pelures du volumineux dossier Fleury-Després. De vive voix d'abord et ensuite par écrit pour le consigner au dossier, Madeleine avait rapporté l'interrogatoire avec le mari de Rébecca Fleury à son collègue de l'escouade régionale et à son chef. Fort heureusement, Pronovost n'avait pas tenu compte de sa conversation téléphonique avec la fille de Fleury en octobre. Elle n'avait, après tout, que vérifié les allégations de Claire Tanguay par rapport à la pierre retrouvée dans l'atelier. À la suite de la découverte des boucles d'oreilles le 12 mars, son patron lui avait donné le feu vert pour enquêter sur l'aigue-marine en forme de cœur et sur sa réelle propriétaire. Pas davantage, pour l'instant.

Comme dans l'espoir qu'une image plus définie prenne forme, une foule d'annotations coloraient le tableau noir, écrites pour la plupart de la main de Bonneau. Épinglés sur le babillard se retrouvaient côte à côte la photo de l'aigue-marine en forme de cœur prise dans l'atelier en octobre, les boucles d'oreilles, la chaîne en or ayant appartenu à Annie

Després et le croquis de Rébecca. On pouvait lire un premier fait avéré comme suit :

> *L'aigue-marine apparaissant sur la photo (datée) prise en octobre, et trouvée par Bonneau dans l'atelier où Michel Fleury s'est suicidé en juillet, appartient hors de tout doute à Annie Després. Voir dépositions suivantes : Alexis Trottier, Monique Després, A. Côté, bijoutier Bernard Gaudreau.*

Les derniers témoignages avaient été recueillis récemment.

Monique Després avait attesté que sa sœur lui avait effectivement parlé d'un cadeau offert par son amant pour son anniversaire, en mars 2013 : des bijoux qui coûtaient très cher. Annie préférait les lui montrer plus tard, lorsqu'elle pourrait les porter « au complet ». Se trouvant en total désaccord avec cette liaison, Monique n'avait pas insisté, n'était même jamais revenue sur le sujet, ne comprenant pas trop le discours d'Annie. Ce témoignage corroborait la découverte des boucles d'oreilles par Marie Bouchard, et la déclaration de sa consultante par téléphone sur le fait qu'elle *devait se faire percer les oreilles pour pouvoir les porter*, ce qui expliquait ce « *les porter au complet* » seriné à la sœur. À la demande de Bonneau, lors de l'interrogatoire, Monique lui avait remis la chaîne en or qu'Annie avait encore à son cou quand elle avait été retrouvée morte, noyée.

Mademoiselle A. Côté, la voisine d'Annie, avait certifié que le sac cadeau que Fleury tenait dans sa main en mars dernier était d'un beau gris perle scintillant, agrémenté d'un gros **BG** noir stylisé. « Très classe », avait-elle précisé.

174

Elle avait avoué l'avoir bien vu, parce qu'elle avait, *ce jour-là seulement, car normalement c'était pour observer les oiseaux*, chaussé ses jumelles. Elle s'en souvenait, puisqu'il lui arrivait de flâner dans ce commerce tellement *tout y était chic et brillant, proprio inclus*.

Reconnaître dans cette description visuelle le logo de la Bijouterie Gaudreau coulait de source. Tous les amateurs de pierres et de bijoux de la région s'y retrouvaient, un jour ou l'autre, à l'instar de Mado. Bernard Gaudreau, joaillier propriétaire, avait collaboré à l'enquête de façon très efficace. Il avait facilement retrouvé la vente faite à Fleury dans le registre électronique de l'ordinateur. Il se souvenait de l'acheteur, puisqu'il le connaissait bien : Fleury faisait partie de la Chambre de commerce, tout comme lui. Mars n'était pas un mois favorable pour la vente de bijoux, surtout après le *rush* de la Saint-Valentin. Alors, une telle vente, ça ne s'oubliait pas, même des mois plus tard ! La copie du récépissé détaillait la transaction comme suit : une première aigue-marine de 40 $ environ, de forme *troïda* – Gaudreau lui en avait montré un exemplaire en magasin, qui s'avérait identique à la pierre appartenant à Rébecca Fleury ; un ensemble pendentif et boucles d'oreilles d'aigues-marines en forme de cœur, serties d'or, d'une valeur de 2 500 $. Il avait certifié au passage qu'il s'agissait du même modèle que celui du pendentif et des boucles d'oreilles sur la photo en possession de l'enquêteure. Il avait aussi fait état d'une chaîne en or 14 KT d'une valeur de 800 $ – en tous points pareille à celle présentée par Bonneau, soit celle retrouvée au cou de Després. Fleury, de conclure le bijoutier, n'avait pas spécifié pour qui étaient ces achats.

Ce qui avait soulevé deux questions chez Bonneau, Michaud et Pronovost :

Pourquoi Claire Tanguay avait-elle certifié que l'aigue-marine en forme de cœur était celle appartenant à Rébecca ?

Bonneau et Pronovost avaient convenu que la veuve, ne connaissant rien aux bijoux et étant indifférente à sa fille, avait de toute évidence oublié les détails concernant la pierre, même si Rébecca les lui avait répétés plusieurs fois au téléphone. Trottier n'avait-il pas souligné que sa belle-mère ne l'avait probablement jamais vue ? En octobre, lorsque Bonneau avait mentionné à Claire Tanguay que c'était la pierre du mois de mars, Claire avait déduit que c'était bien celle que sa fille avait perdue quelques semaines auparavant. Elle n'avait aucune raison de songer à quoi que ce soit d'autre que cette possibilité, ayant affirmé d'entrée de jeu qu'elle ne lui appartenait pas.

La deuxième interrogation demeurait une pièce maîtresse du casse-tête. Sans trop savoir pourquoi, Bonneau l'avait ainsi qualifiée : X, variable de l'inconnue.

Comment et quand Annie Després avait-elle pu perdre le pendentif en forme de cœur dans l'atelier de son amant ?

Toutes sortes d'hypothèses avaient été soulevées de part et d'autre. Ils en avaient retenu deux.

La première partait d'un fait avéré : personne ne pouvait affirmer avoir vu Annie porter le pendentif à son cou. Ni Marie Bouchard, ni Monique Després, ni ses parents, collègues, amis intimes, tous interrogés dans les règles. Il était donc possible que Fleury l'ait gardé avec lui (en secret dans l'atelier, là où sa femme ne mettait jamais les pieds) pour éventuellement faire la surprise plus tard à Annie, en le lui remettant AVEC et DANS le coffret à bijoux. Car ce coffret, commencé, mais pas terminé, et qui reposait sur l'établi encore en octobre, était bien destiné à Annie Després. Le croquis réalisé par Rébecca en attestait. Le dessin bien affiché sur le babillard, créé spécifiquement par la fille de Fleury pour le couvercle de cet écrin, montrait clairement les lettres A. D. stylisées dans un joli motif artistique. Vérifications avaient été faites : ces initiales ne correspondaient à aucun membre de la famille de Fleury ni de celle de sa femme.

Mais pourquoi ne lui avoir remis que la chaîne en or et les boucles d'oreilles ? N'était-ce pas illogique, sinon bizarre, d'avoir conservé le pendentif ?

Malgré ces objections, somme toute mineures, l'hypothèse suivante demeurait solide : le soir de son suicide, de façon impulsive, Fleury aurait pu ressentir le besoin de prendre *le cœur* dans sa main avant de se donner la mort, sans réaliser les conséquences de ce geste advenant la découverte de la pierre. Et même dans le cas contraire, rendu à ce point crucial, pour ne pas dire sans retour, les retombées éventuelles que la découverte de l'aigue-marine susciterait n'avaient sûrement plus aucune espèce d'importance à ses yeux.

La deuxième hypothèse relevait d'une approche plus masculine. Elle venait de Michaud. Il s'était mis à la place de l'amant.

« Qui ne fantasmerait pas de se voir faire l'amour avec sa maîtresse dans sa propre chambre ou son lieu de travail, par exemple ? Tu sais, Bonneau, ça arrive souvent que des amants couchent dans le lit conjugal. Pour Fleury, son atelier c'était sûrement LE "spot à essayer", si tu me permets l'expression. Tous les couples illicites finissent par courir des risques et jouer avec le feu. C'est connu. »

Pronovost avait alors surenchéri : dans leurs ébats érotiques et passionnels, la belle avait probablement perdu le pendentif sans même s'en rendre compte ! Ce à quoi Mado avait rétorqué :

« Admettons, OK. Ça pourrait être le genre de Fleury. Mais elle s'en serait aperçue dès le lendemain ou le jour suivant, tu parles, un cadeau d'une telle valeur ! Ne le trouvant nulle part, elle lui aurait demandé de vérifier l'atelier de fond en comble ! Et il l'aurait forcément retrouvé, le lui aurait rendu et je ne l'aurais pas découvert dans l'atelier.

« Reprenons : ils ont une relation sexuelle torride dans l'atelier ; elle perd le pendentif ; il reste sur place et je le trouve en octobre. Tout était exactement comme en juillet, ça je l'ai constaté en comparant les lieux avec les photos prises lors de la découverte du corps de Fleury. La veuve n'avait rien touché et je la comprends ! À mon avis, si la pierre était toujours dans l'atelier en octobre, c'est parce que les ébats du couple illicite ont eu lieu presque en même temps que la disparition d'Annie, un jour ou deux avant, pas davantage ! Ce qui expliquerait qu'elle n'ait porté que la chaîne à son cou quand on a retrouvé son corps au bord de la rivière. Mais il y a un hic, les gars, un sacré GROS HIC.

— Nous t'écoutons, de répondre le patron, attentif.

— Il faut revenir sur la chronologie des jours précédant le suicide de Fleury. Son agenda va nous être utile. De toute façon, je la connais par cœur, nota-t-elle au passage. On sait que Rébecca Fleury, son mari et ses enfants sont arrivés à la maison au bord du Lac le jeudi soir 18 juillet, pour quitter les lieux le dimanche soir 21 juillet, tard après le souper. Le lundi soir 22, réunion de la Chambre de commerce :

Fleury y était. Mardi en soirée, le 23, entraînement au gym : il s'y est rendu. Il était à son bureau tous les jours cette semaine-là, excepté le mercredi, à partir de midi. On sait que ce fameux après-midi du 24 juillet, Fleury a rendu visite à Annie à son appartement, pour repartir vers 19 h. Qu'il ait mis fin ou non à leur relation ce jour-là, et j'en doute personnellement, il est resté plusieurs heures avec elle et ils ont sûrement baisé. Les rideaux et toiles étaient tirés, comme les fois précédentes. Ils n'ont pas pu remettre ça chez lui ce soir-là, puisque Monique a parlé au téléphone avec Annie ce 24 au soir, de 20 h 30 à 21 h 30, voire plus...

« Fleury est rentré assez tard chez lui ce soir-là et, selon la veuve, monsieur avait eu une réunion d'affaires qui s'était éternisée. Hum, sans commentaires. Du jeudi soir au dimanche soir, soit du 25 au 28, il est resté à la maison. Pour quelqu'un qui allait s'enlever la vie, soit dit en passant, il n'en a donné aucun signe !

« Si Annie est venue à l'atelier, c'est obligatoirement un jour ou un soir bien avant. Prenons la semaine du 15, à supposer que ce soit le cas, soit le 15, le 16 ou le 17. Mais alors, Rébecca, par exemple, n'aurait-elle pas dû retrouver l'aigue-marine la fin de semaine suivante lorsqu'elle a passé tout son temps avec son père dans l'atelier ? Et nous voilà dans la semaine du 8... mais cela implique OBLIGATOIRE-MENT que Després aurait eu largement le temps de se rendre compte qu'elle avait perdu la pierre, et à Fleury de la trouver ! Même si j'opte personnellement pour l'hypothèse 2, eh ben, y'a quelque chose qui ne colle pas. Y'a quelque chose qui cloche...

— Ouais, d'accord avec toi, l'hypothèse 2, quoiqu'inté-ressante, ne s'insère pas, voire pas du tout, dans la chrono-logie des faits, d'approuver Michaud. On l'oublie, à mon avis. Mado, cette pierre dans l'atelier de Fleury... difficile de rouvrir l'enquête sur ce simple élément! Ça ne nous mène nulle part ou peut-être bien que oui, finalement. Selon moi, il fallait qu'il en soit sacrément fou pour lui offrir un cadeau d'une telle valeur! Surtout et davantage parce que, d'après les divers témoignages, il était *séraphin*. Si ce nouvel élément ajoute quoi que ce soit à l'enquête, c'est de consolider la présomption du suicide par amour, tu ne crois pas? Sans parler du coffret à bijoux qui était bel et bien destiné à sa maîtresse, ce qui renforce de plus belle l'hypothèse 1. Il comptait le lui offrir avec le cœur, à l'intérieur. C'est ce que je pense. Ce bonhomme s'est retrouvé devant un choix trop déchirant, et il n'a juste pas été capable de choisir et, plus que tout, de continuer à vivre avec sa lâcheté.

— Ouais, t'as pas tout à fait tort, Michaud. Ça se tient. Mais, pourquoi je doute encore? On dirait que j'ai furtivement entrevu les deux ou trois morceaux manquants du casse-tête, et que je ne parviens plus à les retrouver pour finir l'image.

— Oh, ça, je te comprends. Ça arrive, et plusieurs fois plutôt qu'une, de compatir Pronovost. Dis-moi, qu'en penserait ta nouvelle amie, comment déjà, Marie... Quat'Poches?

— Moque-toi donc pas, rétorqua-t-elle gentiment. Drôle de surnom, sais pas si elle apprécierait.

— Ben non, c'est pas méchant. Loin de moi cette idée. Rappelle-toi, Marie Quat'Poches faisait partie des personnages de *La Boîte à surprise*, la vieille émission de télévision. On peut dire que *ta* Marie t'a réservé bien des surprises jusqu'ici, non?

— Pour ça oui!

— T'es peut-être pas au courant, Bonneau, mais quand j'étais enquêteur sur le terrain, comme toi, j'ai travaillé avec une consultante, Ariane Salamin, juste parce qu'elle était super intuitive et phénoménalement clairvoyante! C'est en partie grâce à elle que j'ai réussi à boucler une affaire compliquée d'enlèvement et de meurtre. C'est devenu une amie très chère par la suite, et elle l'est encore, même si elle a déménagé de la région. Avec elle, j'ai compris que, même dans une enquête policière, rien ne doit être laissé au simple hasard. En plus, c'est la mode de faire intervenir des consultants dans les affaires criminelles.

— La mode? Comment ça?

— Ben, t'as qu'à penser aux séries télévisées. Moi, j'aime bien *Le Mentaliste*, c'est un médium qui est consultant, et ma blonde, elle, c'est *Castle*, elle en pince pour le consultant qui, lui, est un écrivain. Et dans les deux cas, ce sont des femmes qui dirigent les enquêtes! Ça a du bon, je trouve, ça aide à démystifier notre métier, à le rendre plus... humain.

— Ah bon? Je ne regarde pas trop la télé, tu sais.

— Pas grave. Tout ça pour te dire que tu peux lui demander son avis, moi, j'y vois pas d'inconvénients, tu sais. Pourvu que tu sois garante de son intégrité et de son silence absolu. Confidentialité MAXIMUM!

— Je le suis, Jean-Guy, à cent dix pour cent. Elle a un sens de l'éthique très poussé, crois-moi.

— OK. Parfait, disons que je te permets de passer un peu de temps "perdu" sur ce dossier, mais pas trop. On a d'autres chats à fouetter, Bonneau, des chats de gouttière *lettes* à faire peur, mettons. Pas question d'interroger de nouveau la veuve pour le moment, on est bien d'accord? On va laisser courir et voir s'il y a de nouveaux éléments qui s'ajoutent...

— OK. Reçu cinq sur cinq, chef!»

Une idée géniale

Le thermomètre semblait déréglé tant il restait bloqué à dix degrés, et le noroît ne faiblissait pas, ne donnant à âme qui vive ne serait-ce qu'une petite journée de répit. Le vent du nord bousculait sans ménagement les arbres dénudés, arrachant ou cassant les moindres branches vulnérables. Il effrayait les oiseaux qui revenaient du sud. La gent ailée, frileuse et affamée, ne savait plus où battre de l'aile et, à l'instar des humains, n'avait sûrement plus qu'une seule envie : repartir sous des cieux plus cléments. Le lac Saint-Jean, encore recouvert de glace, grelottait de froid comme s'il avait la chair de poule ! On s'ennuyait des brises légères de l'été ou de l'automne qui faisaient langoureusement frissonner ses vagues, à se demander si on ne les avait pas imaginées. Certes, le noroît pourchassait allègrement les nuages dans le ciel, le laissant d'un bleu électrique, mais il refroidissait cavalièrement tout marcheur qui osait lui faire face ! C'était franchement déprimant comme météo ; se répéter que l'on vivait dans un pays nordique n'était même plus une consolation. Et même si avril avait allongé ses heures d'ensoleillement, il conservait jalousement pour lui ses effluves et ses espoirs printaniers.

Ceux-là, songea Mado, on les retrouvait, Dieu merci, dans *le tipi* de Pronovost!

Celui qui avait remplacé le lieutenant Michel Arsenault, parti à la retraite, avait refusé de changer de bureau. Il tenait à son antre (communément appelé *le tipi*) et à y pratiquer son rituel d'y faire brûler de l'encens. Cette habitude était inattendue, mais ô combien bienvenue, donnant une note d'humanité à un travail qui se penchait principalement sur les aspects inhumains de l'être. Jean-Guy semblait être demeuré allergique à la bureaucratie; pour lui, elle restait toujours trop lourde en tout et partout. Et davantage dans son *tipi* qui croulait sous la paperasse. Mais il s'arrangeait pour faire avec.

Bonneau trouva qu'elle avait bien de la chance de travailler sous les ordres d'un pro de cette envergure, un personnage de cette trempe. Il n'avait nul besoin d'imposer son autorité. Elle coulait de source et chacun y buvait volontiers. Il était original, charismatique, sympathique, attentif, intelligent et doté d'un formidable sens de l'humour. C'était un homme épanoui, qui transpirait la joie de vivre. Tant et si bien qu'elle déteignait sur son entourage. Il se disait choyé par la vie: il adorait sa femme et il se passionnait pour son métier. Pronovost avait largement fait ses preuves aux enquêtes, et Bonneau espérait bien suivre ses traces.

Un peu plus tôt, Mado s'était levée, avait pris son petit déjeuner pour se recoucher aussitôt après. Quand elle regarda de nouveau le réveil, il était 10 h. Marie avait deux consultations aujourd'hui, une ce matin et l'autre vers 14 h; elles ne pourraient donc pas se voir dans la journée. En revanche, elles devaient souper ensemble.

Elle rêvassa encore un peu dans son lit. Un sourire se dessina sur ses lèvres au souvenir de la tête de son amie quand elle apprit son surnom, Marie Quat'Poches, décerné par nul autre que le réputé lieutenant Pronovost!

« Elle n'avait pas des couettes raides à l'horizontale, cette Marie-là? En quoi je lui ressemble, dis-moi?

— Non, non, tu te trompes. C'était Fanfreluche, ça. La *Marie* en question, elle avait une jolie robe trois couleurs avec quatre poches devant, des cheveux longs et blonds qui se terminaient en tresse sur le dos. Elle avait un beau langage. Super mignonne... Ben, il ne se souvenait pas de ton nom, c'est venu comme ça, fâche-toi pas, c'est *cute*, non?

— *Cute, cute*, c'est vite dit, ça fait pas tellement sérieux, ronchonna Marie.

— Eh ben! depuis quand tu veux faire "sérieux", TOI?

— Ben, depuis que j'prends au sérieux mon drôle de métier, tiens donc! »

Et elles étaient parties dans un fou rire du tonnerre.

Marie Bouchard avait réagi comme l'enquêteure s'y attendait: des deux hypothèses avancées concernant la présence de l'aigue-marine dans l'atelier, elle privilégiait la deuxième, même si elle semblait « in-casable » dans la chronologie des faits. Elle trouvait la première absolument farfelue, même si elle partait de faits prétendument avérés.

« Hum... faits avérés, oui et non, chère.

— Pourquoi tu dis ça? lui avait demandé Mado, fort surprise.

— Je veux bien croire que personne ne l'a vue porter le pendentif. Mais c'est loin de signifier qu'il n'était pas en sa possession. Annie préférait sans doute le garder sous ses vêtements. Elle a dit à sa sœur qu'elle attendait de *porter les bijoux au complet* pour les lui montrer. Elle faisait clairement référence à l'ensemble qu'elle avait reçu, non? Les boucles d'oreilles ET le pendentif. Si elle n'avait reçu que les boucles en cadeau, supposant ainsi que Fleury ait bien conservé le pendentif chez lui, tu crois qu'elle aurait donné cette précision ?

— Eh bien, c'est intéressant, on n'a pas soulevé ce point hier. C'est Jean-Guy qui va en faire une tête, son hypothèse 1 qui a des ratés. Il m'avait bien dit que t'étais une boîte à surprises à toi toute seule.

— Il a dit ça ! ?

— Hum...

— J'ai un imaginaire très fertile, tu le sais, Mado. Pourtant, je suis absolument incapable d'imaginer Fleury prenant la pierre dans sa main et pleurant sur son amour perdu avant de se suicider. Trop. C'est trop mélo. Ce gars-là était TOUT sauf sentimental et courageux, crois-moi ! Tout ce qu'il espérait, en offrant de tels bijoux à sa maîtresse, c'était de l'acheter, de la soumettre davantage. De l'endormir. C'était un homme intéressé, il ne faisait ou ne donnait jamais rien pour rien. Il m'a répété qu'il était incapable de la quitter, alors il a trouvé ce moyen pour la forcer à lui être redevable en quelque sorte. Un faiseur d'esbroufe, ce gars-là, je te jure !

— Ah, tu marques un autre point ! Ça corrobore le témoignage de son beau-fils sur le manège "intéressé" de Fleury envers le talent artistique de sa fille, et la supposée affection qu'il lui portait, comme je t'ai raconté. »

Marie ne changeait donc pas son idée initiale d'un iota, elle ne dérogeait pas de sa première impression :

« Désolée, Madeleine, je peux paraître avoir la tête dure, mais Fleury n'était pas un candidat au suicide, du moins pas comme ton patron l'entend. Je sais, je ne l'ai rencontré qu'une fois, mais... mais c'est ça ! C'est juste impossible à avaler pour moi. Je veux bien admettre qu'il aimait Annie, peut-être plus qu'il ne le croyait lui-même ou en était conscient. Comment reconnaître ce qu'on ne connaît pas ? Il l'avait dans la peau, oui... mais jamais au point de s'enlever la vie pour elle.

« Ce qui veut dire que si on raye de la liste la relation incestueuse avec sa fille, et j'en suis tellement soulagée, il ne reste que le suicide par remords d'avoir assassiné sa maîtresse avant. Ça, je peux... disons... au moins le concevoir. »

En ce matin d'avril venteux, gris et pluvieux, Madeleine décida, d'un coup, de réécouter l'enregistrement de sa première conversation avec *Marie Quat'Poches*, et de prendre des notes. Elle ne l'avait réécouté qu'une seule fois et, qui plus est, en en sautant de nombreux passages. Mado connaissait l'importance des mots écrits, ce que le seul fait de les lire pouvait arriver à produire avec l'imaginaire et l'interprétation. L'impact était parfois inattendu. Elle avait entendu un jour quelqu'un dire que l'écriture était issue des émotions, des sentiments, du ressenti, alors que la parole était fille de la raison. Pas faux ! Elle ne perdait rien à essayer, surtout que, cette fois, elle agissait dans ses temps libres.

Elle alla se préparer un grand pot de café qu'elle rapporta et posa sur sa table de chevet. Elle étira de façon rudimentaire ses couvertures et y déposa un carton blanc avec plein de marqueurs de couleur tout autour pour noter les éléments qui s'imposeraient naturellement à elle. Ceux qui avaient été délaissés ou qui soulèveraient des interrogations, d'autres qui n'auraient pas été clarifiés ou corroborés. Maintenant que Marie Bouchard, l'autre *M. B.*, était devenue son amie, qu'elle connaissait sa sincérité, son intégrité et le « sérieux » qu'elle portait à son « drôle » de métier, et que plusieurs mois avaient passé depuis les faits, peut-être l'entendrait-elle et l'écouterait-elle autrement ?

187

Elle s'adossa contre ses oreillers et démarra l'enregistrement...

Une fois cette étape franchie, et le carton bigarré de notes, elle ferma un peu les yeux et relâcha sa concentration. Les descriptions liées aux caractères et comportements des deux victimes correspondaient à tout ce qui avait été découvert sur eux, ou presque. *Dire qu'elle les voyait pourtant pour la première fois. Chapeau!* Mado se leva, prit sa douche et enfila un survêtement. Puis, après un léger goûter, elle se mit à son clavier d'ordinateur. En fin d'après-midi, un peu avant l'arrivée de Marie, voici ce qu'elle put relire en toutes lettres, le résumé de tout ce qu'elle avait noté, ses impressions, commentaires, interrogations, et les points soulevés. Elle n'avait retranscrit intégralement que deux passages, concernant Fleury, mais plusieurs concernant Després. Pour éviter toute confusion elle avait noté les noms de celui ou de celle qui s'exprimait, sauf pour Marie Bouchard, dont elle n'avait noté que les initiales.

Elle comptait bien, dès ce soir, éplucher tout ça avec l'autre M. B.

***

Michel Fleury
(M. B. s'adresse à moi dans les deux cas.)

Croyez-vous vraiment qu'après tant d'années passées ensemble, une conjointe puisse ignorer l'appétit insatiable de son mari pour le sexe, appétit qu'il assouvissait dans des relations extraconjugales? Ou bien acceptait-elle avec résignation la situation, ou bien se fermait-elle volontairement les yeux par intérêt personnel, tout en rongeant son frein, ou bien faisait-elle pareil de son côté? Cela arrive dans certaines unions. Peu importe ses raisons, le fait est qu'elle était toujours mariée à cet homme après plus de trente ans !

Le 18 symbolise les secrets, choses cachées, mensonges, conspirations, intrigues, aventures extraconjugales, ivresse, drogues, entres autres. Ce nombre appelé la Lune dans le tarot divinatoire est associé à la nuit, comparativement au 19, lié au soleil et au jour. Il touche également la famille, et tout ce qui s'y relie. Le seul nombre associé à la mort en tant que telle est ce 13 : mais, à l'instar du 18, il est situé dans sa zone passive, et non active ! En résumé : Fleury A REÇU LA MORT, si je peux m'exprimer ainsi, ou la mort est venue, telle une voleuse, le chercher, si vous préférez...

1. Jamais vérifié si Claire Tanguay avait un amant de son côté. Mais improbable ☺. Cet unique passage sur la veuve éveille en moi les mots très durs de Trottier à l'endroit de sa belle-mère (extraits du rapport) : Si Fleury avait pas de conscience, Claire Tanguay, elle, a aucun sentiment pour personne : nada, que dalle, NOTHING, zéro, rien pantoute ! Son mari, sa fille, moi, ses petits-enfants inclus. Tout ce qui l'intéresse dans la vie, c'est le ménage pis la lecture. Là, elle doit être aux anges, madame la reine du foyer, elle peut s'adonner tout son soûl à ses deux passions sans être dérangée par personne. Une vraie maniaque du contrôle, c'est elle qui devrait être soignée, pas sa fille. S'tie que le monde est mal faite des fois ! Elle n'a pas vu ni demandé à voir ses petits-enfants depuis juillet dernier...

P.-S. : Sans trop m'étonner, ce commentaire m'a tout de même grandement choquée. Il y a quelque chose qui m'interpelle, mais je ne sais pas quoi.

2. Le nombre 18 : lié à la nuit. Étrange, puisqu'il n'allait voir sa maîtresse que le jour... **À vérifier avec M. B. Ce nombre touche la famille ? Quel rapport, ici, dans ce contexte, je ne comprends pas. Drogues, ivresse en jeu, oui. Pourquoi M. B. mentionne-t-elle ici les mots conspirations, intrigues ?

3. M. B. revient souvent avec: <u>2 femmes en jeu</u>. Jusqu'ici, <u>seule Annie a été en jeu</u>.

La troisième du fameux triangle n'a jamais été dans la *game*: hors circuit ☺.

4. Un loup-garou sort la nuit pour tuer, non? Brrr....

5. <u>FLEURY A REÇU LA MORT</u>: pour recevoir, ça prend quelqu'un qui donne, non?

P.-S.: L'item 5 me pose problème. Je dois demander des explications à M. B. Je ne dois pas bien interpréter le sens de ses paroles ☺.

Annie Després

Cette dépendance la rendait vulnérable et influençable dans toutes ses relations.

(M. B. s'adresse à moi.): Le 12... Attendez, je vais vous le montrer en image. Parfois, on saisit mieux la force symbolique... Ah, le voici, dans le tarot, c'est le Pendu. Plusieurs liens dans la vie actuelle d'Annie s'avéraient ou s'avéreraient donc néfastes pour elle au cours des prochains mois. Elle devait soit mettre un terme à certains d'entre eux, ou en redéfinir les aspects, ou bien s'en libérer d'une façon ou d'une autre, et cela, avant d'en subir de très graves conséquences.

(Moi): De quel ordre?

— Eh bien, de tous ordres, malheureusement! D'abord d'ordre physique, tels que la maladie ou un accident sérieux qui la paralyse ou l'oblige à arrêter momentanément ses activités, par exemple. Et aussi d'ordre moral ou mental, comme le fait de prendre de très mauvaises décisions ou de s'enliser dans des situations hors de son contrôle, de tomber sous le joug d'un gourou ou d'une personne très influente et néfaste. Ce genre-là.

(A. D.): Vous voyez juste, madame Marie. J'ai une liaison avec un homme marié depuis plusieurs mois. Il me ment, me manipule, il abuse de ma patience, il sait que je suis follement amoureuse

de lui. *C'est comme si je l'aimais et le haïssais à la fois. C'est très déstabilisant.*

— *Je lui ai mentionné aussi qu'une femme, qui avait beaucoup de classe, d'impeccables manières et une apparence très soignée, férue de littérature ou issue du milieu de l'enseignement ou des lettres, représentée par ce 3, ici – on l'appelle l'Impératrice dans le tarot –, jouerait un rôle crucial dans sa vie. J'espérais, et je le lui ai répété, que cette personne lui vienne en aide, la guide en quelque sorte, car elle en avait grandement besoin.*

(Moi): *Pardon de vous interrompre, mais... cette femme, ça ne pouvait pas être vous, par hasard?*

— *MOI!? Dieu du ciel, quelle drôle d'idée, mais jamais en cent ans! Ai-je l'air ou ai-je la chanson d'une... d'une reine à votre avis?*

(Moi): *Pas vraiment, non.*

(Moi): *Est-ce que je pourrais voir la carte du tarot qui correspond à ce nombre (3)?*

— *La voici!*

(Moi): *Elle ne dégage rien de particulier. Rien d'excitant ou d'inspirant, en tout cas! Elle semble distinguée, intelligente, intellectuelle, mais tout de même un peu hautaine, ou lointaine, comme si elle savait tout et n'avait plus rien à apprendre ou à craindre... non?*

(Suite de l'explication de M. B. concernant A. D.): *Eh bien, pour être franche, elle a eu une réaction bizarre. Inattendue pour le moins. Elle est devenue soudain très mal à l'aise, et même gênée. Pour ne pas dire... embarrassée. Alors qu'elle ne l'avait aucunement été pour me parler de son amant, peu avant. Je l'ai sentie se retrancher, être sur la défensive, et cela, sans aucune raison précise. Elle a simplement balbutié, en évitant mon regard, que non, pour le moment, elle ne voyait pas qui cette personne pouvait être. Mais j'ai senti, j'ai compris, mais de façon inexplicable, qu'elle savait pertinemment de qui je parlais.*

Je suis très inquiète, car, dans son cas, il est possible et même très probable qu'elle se soit enlevé la vie après avoir appris la

191

mort de Fleury. Car, comme je vous l'ai mentionné tantôt, le nombre le plus proche du suicide, le 12, se trouve dans sa zone active.

Annie revenait d'ailleurs souvent sur ces mots: "Je perds le contrôle de ma vie. J'ai peur de ce que je suis devenue."

1. Annie: déstabilisée, influençable dans **TOUTES** (??) ses relations. Avait perdu le contrôle de sa vie (*ça, d'accord*), mais... avait peur de qui elle était devenue. *Pourquoi?* Elle n'était que passionnément amoureuse après tout. Pourtant elle a confié à M.B.: *je l'aime et je le déteste à la fois.*

2. Qui était cette personne, cette femme qui devait jouer un rôle crucial dans la vie d'Annie à cette époque (??): elle pourrait sûrement nous en apprendre. Comment et pourquoi n'est-elle pas ressortie avec l'enquête? A. Côté n'en a jamais parlé, ni Monique, ni ses collègues. Personne ne connaissait d'amie intime à Annie à cette période. Pourquoi Annie a-t-elle réagi ainsi quand M. B. lui en a parlé; elle s'est mise sur sa défensive, mal à l'aise, gênée, etc. (M. B. a spécifié: *elle savait pertinemment de qui je parlais.*) Si c'était juste une amie, et même une thérapeute, comment expliquer cette réaction? Et si M. B. s'était tout simplement plantée avec ce fameux personnage? C'est probable.

3. **Pourquoi parler de PLUSIEURS liens qui s'avéreraient néfastes pour Annie? N'y a-t-il pas eu que celui qu'elle entretenait avec Fleury? Quels pouvaient être les autres? *** L'enquête n'a rien révélé à ce sujet.**

4. **L'image du tarot, le Pendu, dans ses nombres à ELLE m'a vraiment, vraiment perturbée. Moi, j'y ai vu et j'y vois encore Fleury, pas son suicide à elle.**

P.-S.: Probablement parce que j'ai effectivement vu Fleury pendu à une corde!

***

Madeleine desservait la table et rangeait tout au lave-vaisselle pendant que l'odeur du café dégageait ses arômes. Marie demeurait concentrée sur ce qu'elle lisait : une sorte de condensé ou d'aide-mémoire des réflexions et interrogations de l'enquêteure, notées à la suite de leur premier entretien en octobre dernier.

« J'ai vraiment dit tout ça, moi ?

— Et plus encore... Pourquoi, tu en doutes ?

— Non, c'est juste que ça fait bizarre de le lire. Le mari de Rébecca, il n'y est pas allé avec le dos de la cuillère pour décrire sa belle-mère. Aïe ! C'est vraiment l'impression qu'elle t'a laissée aussi, la veuve ? »

Mado lui avait déjà parlé de Claire Tanguay, mais rajouta quelques commentaires la concernant. Elle était sans aucun doute maniaque, mais à savoir si c'est elle qui devrait être enfermée, ça c'était une autre histoire. Oui, cela l'avait beaucoup perturbée de savoir, un, qu'elle était totalement indifférente à sa fille, laquelle avait plus que jamais besoin de sa mère après le suicide de son père, et deux, qu'elle n'avait pas revu ses petits-enfants depuis juillet dernier.

« En effet, c'est plutôt triste et questionnant. Donc il y a quelque chose qui te titille particulièrement à son sujet, et tu n'arrives pas à mettre le doigt dessus, c'est bien ça ? Pour essayer de cerner ce qui t'échappe avec elle, et aussi dans tes autres interrogations, on va faire une sorte de sprint d'associations. Je l'appelle, moi, le jeu de la vérité. On s'en sert pour l'interprétation des rêves. Jung l'a inventé, je crois, sous le nom de *test des associations*. Il se servait parfois d'objets et même d'images... Bref. Je vais te dire un mot ou un nom, peu importe, tu vas me répondre instantanément ce qui te passe par la tête, sans réfléchir, en l'associant à ce que je dis. Souvent, l'association provient du conscient, mais, parfois, elle provient de l'inconscient, voire de l'inconscient collectif... Prête ?

— OK, pourquoi pas ? C'est parti.

— Alexis Trottier.

— AMOUREUX.

— Chronologie.

— VÉRITÉ.

— Annie Després.

— INCONNUE ! ... Hein, pourquoi j'ai dit ça ?

— On verra plus tard, je prends tes réponses en note... Reste à la fois concentrée et zen, OK ?

— Hum, je vais essayer.

— Inconnue.

— CLAIRE TANGUAY. ... Ben voyons, chus toute mêlée, là ! Je ne suis pas une bonne participante, on dirait, s'excusa Mado, gênée.

— Ne t'en fais pas pour ça. Il faut que ce soit rapide, instantané. Et c'est le cas, on verra après... Littérature.

— ÉCRIRE... ET LIVRES.

— Enfermé.

— COUPABLE.

— Deux femmes.

— ... EN JEU. Ah, excuse-moi, ça c'est nous, on dirait, non ?

— Tut, tut, tut, les questions, c'est pour plus tard. ... Michel Fleury.

— X (Elles ne purent s'empêcher de sourire.) C'est carrément biaisé, ça !

— Un peu, mais je le note tout de même. ... Triangle.

— EAUX TROUBLES.

— Conspiration.

— COMPLOT ENTRE DEUX PERSONNES.

194

— Un seul mot de préférence, mais c'est pas grave, Mado. ... Loup-garou.

— MONSTRE PAS RÉEL. Ah, excuse-moi, mautadit !

— On va faire avec, puisque t'es volubile ce soir ! ... Famille.

— ... Euh... FAMILLE, GENRE MARI, FEMME, EN-FANTS.

— Se planter ! »

De toute évidence, Marie se servait des mots du texte global qui noircissait les deux feuilles blanches devant elle. Mado devint rouge comme une tomate et déglutit avant de répondre.

« FAIRE FAUSSE ROUTE... mais ça arrive à tout le monde, à moi aussi, tu sais.

— Pssst, reste attentive, détendue. ... Aigue-marine.

— FUNESTE PRÉSAGE.

— Initiales M. B.

— *ALTER EGO*.

— Eh ben ! ... OK, on termine alors avec... Claire Tanguay.

— REINE.

— Reine ?! *Reine*, répéta Marie, surprise par cette association. Bon. Je le note... reine. Laisse-moi quelques minutes.

— Pas de problème, chère. Je vais chercher le café et le dessert en attendant. Tu ne sortiras pas grand-chose de tout ça à mon avis. C'est marrant comme test, mais plutôt tiré par les cheveux, dans mon cas en tout cas ! »

Elles sirotaient leur expresso, après avoir dégusté leur crème caramel. Marie n'avait pas encore ouvert la bouche.

« Alors, ça ressemble à quoi ? s'inquiéta un peu Mado devant l'air concentré et perplexe de son amie.

— On va faire quelque chose. Habituellement, j'aide le consultant à décortiquer ou à mieux comprendre ses ré-

ponses, parce qu'il ne s'agit que de facettes de sa personnalité ou de son vécu qu'il n'arrive pas bien à cerner lui-même
pour les associer à ses visions nocturnes. Ici, il est question
d'une enquête policière. Je te laisse les deux feuilles, et voici
ce que tu vas faire : les lire, les relire, calme et détendue
juste avant de dormir. Demain matin au réveil, et plus tard,
si nécessaire. Mais tu dois jouer le jeu jusqu'au bout, c'est-
à-dire croire dur comme fer que tout ce qui est écrit là
provient de la vérité.

— Ah bon ?! fit Madeleine à la fois étonnée et très
déçue. T'as pas d'idées, toi ? Aucune ? Aïe, si ça ne te dit
rien à toi, que veux-tu que ça me dise à moi ?

— Je t'arrête, je ne t'ai jamais dit que tout ça ne me disait rien. Mais c'est une enquête, *ton enquête*, et il n'est pas
question que j'influence "la" vérité d'une façon ou d'une
autre. C'est assez compliqué comme ça sans que je vienne
mettre mon grain de sel ! Ces mots-là sont sortis de toi, Mado.
Toi seule peux vraiment les, comment dire, reconnaître ou
les replacer dans leur "vrai" contexte, et en rapport avec ton
enquête, évidemment. Alors, à toi de *voir*, cette fois. Bon,
si on se visionnait un petit film sur ton super grand écran ?
T'as besoin de te changer les idées, madame Bonneau ! Sinon,
tu vas devenir obsédée par cette affaire. Surtout pas un
policier, hein ? »

Les jeux sont faits

Le cadran indiquait 3 h quand elle se réveilla en sursaut et en sueur. Mado venait de rêver. Une vision brève, mais percutante. *Pendant que Fleury était pendu dans son atelier, une première Claire Tanguay, celle d'octobre aux cheveux parfaitement lissés, lisait dans son salon au bord du lac, et l'autre, aux cheveux tout ondulés, avait l'apparence d'un fantôme qui flottait partout, habillé en...*

« Nom de Dieu de... ! » s'écria-t-elle en proie à une vive émotion. Jamais Mado ne s'était relevée si sec de la position horizontale. Tant et si bien qu'elle se sentit étourdie pendant plusieurs secondes.

Elle se leva promptement, alluma sa lampe de chevet, s'assit au bord du lit et relut les deux feuilles sur lesquelles, accompagnées de remarques, toutes les associations étaient retranscrites. Son cœur battait la chamade, ses mains se mirent à trembler. Un peu plus et elle s'évanouissait.

« Non, c'est pas possible, c'est pas possible. Faut que j'appelle Marie. (Elle avait le combiné en main quand elle réalisa l'heure sur son réveille-matin.) Mautadit, non, on est en pleine nuit ! »

Pendant les deux heures qui suivirent, les feuilles manuscrites sous les yeux, son esprit s'enflamma littéralement.

Envahie d'une dose d'adrénaline hors du commun, elle fit le tour de son appartement, s'assit au salon, se releva, s'assit à la salle à manger, se releva, puis de nouveau sur son lit, et elle répéta ce manège à en avoir le tournis. Tout s'emboîtait à la perfection, toutes les pièces manquantes se trouvaient là, sur ce papier froissé. Et elle put enfin reconstituer le tableau, tel qu'il avait dû être. Quand elle regarda de nouveau l'heure, il était 5 h 15.

Elle décrocha le combiné, bien décidée cette fois à parler à Marie. L'extrême fébrilité qui l'habitait l'empêchait d'attendre une seconde de plus.

« Allô ? fit une voix endormie et inquiète à l'autre bout.

— Marie, c'est moi ! Il faut que je te voie, c'est urgent, débita-t-elle dans une seule tirade.

— Mado ? ... C'est toi ? ... Ça ne peut pas attendre ? T'as vu l'heure ? Qu'est-ce qui t'arrive ?

— Je sais, mais c'est vraiment important. T'as pas dit que tu te réveillais aux aurores, au printemps ?

— Ouais, mais là, y a pas de printemps, je te signale, ça fait que... OK, OK. Tu peux venir, je prépare du café.

— Bonne idée, nous allons en avoir besoin, j'arrive. »

Mado ne prit même pas le temps de s'habiller ; elle enfila un trench-coat sur son pyjama. Juste avant de partir, elle réalisa qu'elle avait besoin d'une photo. Mais où la trouver ? Le fichier de la Société de l'assurance automobile du Québec ne lui serait d'aucune utilité ; les policiers y avaient bien accès, mais seules des descriptions physiques apparaissaient : taille, couleur des cheveux et des yeux du conducteur... La police n'avait, contrairement à la croyance populaire, aucun accès aux photographies. Fort heureusement, les enquêteurs pouvaient désormais se servir des réseaux sociaux publics, dont Facebook. Elle alluma son portable, ouvrit le site en question et tapa un nom, en priant le ciel que cette personne y soit inscrite. Eurêka ! Elle l'était ! La photo datait de quelques années seulement, deux ou trois ans tout au plus. Elle cliqua avec le bouton droit de la souris et choisit : « imprimer l'image ». Celle-ci sortit, certes en noir et blanc et en petit format, mais c'est tout ce dont elle avait besoin. Car elle devait, avant toute chose, faire une ultime vérification.

* * *

« Ma foi du bon Dieu, qu'est-ce qui se passe ? demanda Marie, en robe de chambre, assise avec Mado au comptoir de la cuisine. Tu as l'air complètement survoltée ! Je ne t'ai jamais vue dans cet état. Et t'as réalisé que t'es venue en pyjama ?

— Évidemment, Marie ! Pas de temps à perdre. Je veux que tu fasses, toi, le test des associations.

— Hein ? Qu'est-ce que tu racontes ? Es-tu certaine de ne pas être tombée du lit ? Une commotion, c'est si vite arrivé et...

— Pour un seul mot, la coupa Mado, en faisant fi de l'inquiétude de son amie. Non, excuse-moi, en fait, ce sera une photo, pas un mot et...

— Je t'arrête, woh là, pas si vite ! On se calme le pompon, chère ! Pas question. Je n'ai jamais fait ça. Je ne suis pas VOYANTE, Madeleine Bonneau. Regarder une photo et deviner où la personne, morte ou vivante, peut se trouv...

— Non, tu n'y es pas du tout, Marie ! Il ne s'agit pas de cela. Voyante ou non, ça, c'est aux autres d'en juger, mais passons. Il s'agit d'autre chose.

— Ah bon? demanda Marie, plutôt déboussolée par l'attitude étrange de l'enquêteure.

— Je vais te montrer une photo, telle qu'elle apparaît sur Facebook. Je veux que tu me dises le premier mot ou le premier symbole qui te vient à l'esprit, du tac au tac, comme moi j'ai fait hier. C'est tout, après, on verra. Tu penses que tu peux faire ça pour moi? C'est vraiment très simple, mais très important.

— Bon, OK. Si tu y tiens, concéda Marie à contrecœur. Ha, t'es pas possible des fois, Madeleine Bonneau! »

La main de Madeleine tremblait légèrement au moment de montrer la feuille blanche sur laquelle était imprimée la photographie. Quand Marie prononça le premier mot qui lui était venu à l'esprit, l'enquêteure jura, écarquilla les yeux de stupeur, puis échappa sa tasse de café qui se brisa en mille miettes par terre.

« Les jeux sont faits, chère *madame M. B*! »

X, la variable de l'inconnue

« Bonneau, nom d'un chien, comment comptes-tu prouver ÇA ? Ça va être vraiment difficile, tu sais. Quasi impossible. »

Pronovost avait exprimé tout haut ce que les autres enquêteurs, assis autour de la table, pensaient en leur for intérieur. Madeleine avait parlé pendant plus d'une heure, sidérant son auditoire. *Ça* se tenait, c'était crédible, c'était envisageable, donc il fallait rouvrir le dossier et creuser cette piste en profondeur.

« J'en sais rien pour le moment ! avoua Bonneau, qui reprenait son souffle. Dans un premier temps, on fait venir le témoin ici pour une nouvelle déposition, on essaie de le déstabiliser. Ensuite, on tente d'obtenir un mandat pour une perquisition ?

— C'est bien beau la perquisition, mais neuf mois ont passé, alors les indices, au revoir, ma belle ! Et, de toute façon, on ne possède aucun élément à charge contre cette personne, nota Michaud, l'enquêteur de l'escouade régionale, affecté au dossier avec Bonneau, alors obtenir un mandat simplement sur des suppositions, mieux vaut oublier ça.

— Michaud n'a pas tort, Mado, renchérit le patron.

— Quelqu'un a bien dû les voir ensemble ? A. Côté, rien ne lui échappe, elle ! C'est sûr qu'on se doit de l'interroger de nouveau et...

— Advenant que ton hypothèse s'avère juste, elle a dû prendre toutes les précautions imaginables pour éviter qu'on se souvienne d'elles, ensemble. Mais chacun le sait, pratiquement tous les meurtriers finissent par commettre des erreurs, nota Pronovost.

— Ouais, mais y a la chance du débutant, même dans les meurtres, et c'est sûrement son premier ! La preuve, neuf mois ont passé, maudit, et on a rien vu.

— Bon, OK. Assez discuté. Dans un premier temps, je suggère que vous recherchiez et visitiez tous les endroits où se rendait régulièrement Després au cours des six mois précédant sa disparition. Épicerie, magasins, dépanneur, salle de conditionnement, pharmacie, cinéma, son lieu de travail, les restaurants, bref, la totale. Apportez les photos des deux femmes et montrez-les. Il s'agit de trouver un témoin qui les aurait vues ensemble. Vous devez également, mais habillés en civil et le plus discrètement possible, interroger les voisins de Claire Tanguay. Peut-être que quelqu'un aurait aperçu Annie Després venir chez la veuve ? Je sais que c'est peu probable, attendu que la demeure de Fleury est bordée d'une haie de cèdres de douze à quinze pieds de haut et que la façade donne sur le lac. Mais bon, faut tout de même essayer. Bonneau, toi, tu vas interroger mademoiselle Côté, et tous les voisins d'Annie sans exception. Une fois cela accompli dans la plus grande discrétion, je m'occuperai de faire venir ici le témoin. Michaud et toi vous prendrez sa déposition. On possédera alors peut-être plus d'indices pour l'amener à se contredire ou le faire avouer. Mais bon, là, je rêve sûrement un peu... On verra bien. Vous savez tous ce qu'il vous reste à faire ? C'est parti !

— Les gars, faut pas oublier les librairies et la bibliothèque municipale, OK ? », conseilla Bonneau, à la dernière minute.

Avant ce *briefing*, Madeleine avait parlé avec Michaud et son patron, Pronovost, pendant trois longues heures. Elle leur avait expliqué dans les moindres détails comment elle en était venue à cette hypothèse, à la suite du fameux test des associations. Ils l'avaient écoutée religieusement et son patron, Pronovost, n'avait émis qu'un commentaire, à la toute fin :

« Tu as mentionné que les psys s'en servent pour décrypter des rêves tordus, alors on peut bien utiliser ce moyen, nous, pour démasquer des êtres tordus, non ? Je t'avais bien dit que ta Marie était à elle seule une boîte à surprises. Chapeau ! Bien joué, Mado. Allez, *briefing*, on rouvre le dossier, Bonneau. »

Sur le chemin qui la conduisait chez mademoiselle A. Côté, elle repensait encore à la veille, dimanche, au petit matin, quand elle avait réussi à expliquer à Marie comment elle en était venue à cette étonnante révélation...

***

« Marie, faudra bien m'écouter. Ne m'interromps pas, car je risque de perdre le fil, c'est trop *extraordinaire*, comme tu dis si souvent. »

Mado se rappela avoir lentement déplié les deux feuilles du test des associations, toute ratatinées tant elles avaient servi, et celles de ses notes personnelles du samedi matin pour les étaler devant elle. Quatre feuilles au total, gribouillées, presque illisibles. Elle avait pris une longue inspiration avant de commencer.

« OK. Avant, je dois te raconter ma brève vision de cette nuit, qui a été le déclic. »

Une fois cela fait, elle s'était lancée.

« J'ai répondu *amoureux* pour Trottier. Sa femme lui manque beaucoup, il l'aime comme un fou, c'est évident. Étrangement, Marie, cette première association représentait tellement la **vérité** le concernant que, dès le départ, même si elle n'avait pas de lien direct avec l'enquête, elle m'a comme éclairée, ouvert la voie en quelque sorte. J'ai pensé : *et si le reste était aussi vrai que ça ?*

« À *chronologie*, j'ai associé *vérité* : donc je devais considérer l'hypothèse 2 comme étant "la" vérité, puisqu'elle seulement impliquait ce terme de *chronologie*. Hypothèse selon laquelle Annie Després se serait trouvée à un moment ou un autre dans l'atelier de son amant. Il me fallait par contre trouver la faille dans la chronologie des faits.

« Pour *Annie Després*, j'ai répondu *inconnue*. Sur le coup, je ne comprenais pas, j'ai même ajouté *hein, pourquoi j'ai dit ça ?* Pourtant, c'est bien ce qui me tracassait le plus avec Annie : cette fameuse inconnue dont tu avais parlé, en long et en large ! Qui était donc cette étrangère ? Une femme, à ton avis, probablement issue de son entourage au travail, très importante dans sa vie, qui jouerait même un rôle crucial ! Contre toute attente, elle n'est jamais ressortie avec l'enquête. Ce qui est illogique en soi, attendu la minutie avec laquelle nous avons épluché la vie personnelle et professionnelle d'Annie Després pendant des mois !

« Au mot suivant, *inconnue*, j'ai associé *Claire Tanguay*. J'étais loin d'être toute mêlée comme je le pensais, ma belle Marie, car cette fameuse inconnue, celle qui a été extrêmement néfaste pour Annie n'aurait été nulle autre que Claire Tanguay ! ... Difficile à croire, n'est-ce pas, mais hélas vrai. Tu avais bien dit lors de notre première rencontre, ici même chez toi, qu'il y aurait **plusieurs liens** dans le thème annuel d'Annie qui s'avéreraient **très néfastes** pour elle, la mettant en danger sous plusieurs aspects. Qu'elle devait s'en libérer avant d'en subir **de très graves conséquences**. Et tu es revenue toi-même maintes fois sur ce terme de *plusieurs* liens. Allez savoir pourquoi, je me suis arrêtée à un seul lien, Fleury ; dans ma tête, c'était l'unique relation néfaste dans sa vie. Nos jugements et nos impressions sont largement influencés par nos expériences personnelles, et cela a été mon cas ici...

« De plus, je me suis dit hier, en revenant avec cette interrogation dans mon résumé de l'affaire, que sur ce point précis tu t'étais... probablement... plantée. Ah, je te demande *plusieurs* fois pardon, mon amie, s'était-elle excusée en se levant pour faire la bise à Marie qui en avait eu les larmes aux yeux. Mais tu avais tellement vu juste, c'est fou ! Il y a eu au moins une autre relation néfaste dans sa vie avant qu'elle ne meure. Mille fois pire pour elle que celle qu'elle entretenait avec l'époux ! Souviens-toi, Marie, quand tu lui as parlé de cette femme qui viendrait jouer un rôle déterminant dans sa vie... Attends... je prends mes dernières notes qui disent : ... *une femme, qui avait beaucoup de classe, d'impeccables manières et une apparence très soignée, férue de littérature ou issue du milieu de l'enseignement ou des lettres, représentée par ce 3, ici – on l'appelle l'Impératrice dans le tarot...* **L'Impératrice**, Marie Bouchard ! OUI, t'as bien entendu ! »

Mado n'oublierait jamais l'ahurissement, le complet ébahissement de Marie à ce moment-là.

« Non seulement le fantôme de Claire était-il ainsi vêtu dans mon rêve, mais aussi ta seule et unique association en regardant la photo de la veuve ! Claire Tanguay, que tu n'as jamais vue de ta vie et que tu as sans hésitation associée à une *impératrice*. J'ai compris, tantôt, quand je t'ai montré la photo et que tu as instantanément fait ce lien, que ce n'était pas juste un hasard, que tout ceci avait bien le sens que je lui avais donné durant la nuit. Tout ceci menait à la vérité. Oui, c'était bien elle : la férue de littérature, qui possède une bibliothèque qui fait tout un mur... avec d'impeccables manières. Celle qui m'a elle-même fait ce commentaire : *la reine du foyer*. Celle-là même que j'ai décrite ainsi en voyant la carte 3 du tarot, un passage d'ailleurs, que j'ai cru bon de reproduire samedi matin ! : ... *Elle ne dégage rien de particulier. Rien d'excitant ou d'inspirant, en tout cas ! Elle semble distinguée, intelligente, intellectuelle, mais tout de même un peu hautaine, ou lointaine, comme si elle savait tout et n'avait plus rien à apprendre ou à craindre... non ?* Moi qui l'ai rencontrée deux fois, je peux te dire que c'est tellement elle, Marie, que c'en est renversant.

« Quand je pensais à elle, le premier qualificatif qui me venait était *raide*, exactement comme la femme sur l'arcane. Elle *sait tout* en effet, Marie, tout sur la mort de Fleury ; quant à celle d'Annie, j'en doute. Annie s'est probablement suicidée peu après, ne pouvant supporter le geste insensé qu'elle avait posé.

« Quand j'ai revu la veuve en octobre, j'ai eu une sensation de déjà-vu qui n'avait aucun rapport avec notre première rencontre en juillet. Mais il était alors impossible pour moi de l'associer à une simple image, celle que tu m'avais montrée dans ton bureau en septembre, car c'est... disons, pas trop mon truc, les symboles. Quand ses cheveux gris sont ondulés tels qu'en juillet et aussi sur Facebook, et non lissés et tirés derrière les oreilles comme en octobre, c'est *l'Impératrice* tout craché !

« Il convient de ne pas oublier ce terme dont je me suis servi pour la décrire, à la fin du test : **reine**, que tu as répété trois fois, tellement tu ne t'attendais pas à cette réponse de ma part. Une impératrice est une sorte de reine, n'est-ce pas ? J'ai vu *l'autre Claire* en rêve, celle que personne ne connaît, mais qu'Alexis Trottier, lui, a pressentie. Cette femme a de toute évidence une double personnalité.

« Claire Tanguay, la veuve de Michel Fleury, correspond à celle qui a pu susciter un tel malaise chez Annie quand tu as évoqué ce personnage dans sa vie. Tu as précisé qu'elle s'était soudain retranchée, qu'elle était d'un coup sur la défensive. Gênée, vraiment embarrassée. Et non sans raison ! Réactions qui t'ont d'ailleurs fait penser qu'Annie *savait pertinemment de qui tu parlais*. C'était bien le cas, Marie : je suis certaine qu'elles se connaissaient déjà en juin, quand Annie est venue te voir. Voilà pourquoi elle répétait qu'elle avait peur de *qui elle était devenue*. Tu as même pris la peine de mentionner ceci concernant cette inconnue : *habituellement, je ne m'attarde pas à un nombre à connotation neutre comme le 3, mais là, je n'arrivais pas à me détacher de l'image et de la présence de cette Impératrice !* Ah, tu ne croyais pas si bien dire, ma chère Marie !

« Je continue, ce n'est pas fini.

« Au mot *littérature*, j'ai répondu *écrire et livres*. Drôle que je n'aie pas dit *écrire et lire*. Sûrement parce que j'ai pensé aux centaines de livres dans la bibliothèque de la veuve !

« Ensuite est venu *enfermé*, et j'y ai associé *coupable*. Tu as, toi, choisi ce terme issu du témoignage de Trottier, lequel j'ai cru bon de noter dans mes notes de samedi, non sans raison : *c'est Claire Tanguay qui devrait être enfermée, pas Rébecca.* Donc, la vérité est que Claire Tanguay est coupable et devrait être enfermée.

« À *deux femmes*, j'ai répondu *en jeu*. Sur le coup, j'ai cru faire référence à nous deux. Mais, puisque le jeu en question était en rapport avec mon enquête, je devais penser en terme de *deux femmes en jeu* dans le dossier en cours : Claire Tanguay et Annie Després. Et, toi-même, rappelle-toi, tu as souvent parlé de deux femmes en jeu, quand tu m'as parlé de Fleury. Mais un jeu nécessite une **participation des acteurs en présence**, et non le simple fait de faire partie d'un triangle amoureux ! Tu as précisé aussi que la mort de Fleury se situait dans sa zone passive et tu n'en démordais pas : donc, ce sont bien les deux femmes qui **ont participé activement à la mort de Fleury** ! Qui plus est, cette image du Pendu du tarot que tu m'as montrée dans le thème d'Annie, rappelle-toi, cette carte m'a profondément troublée. Je me suis sentie ballottée dans une sorte de distorsion du temps. Je revoyais, moi, Fleury pendu dans son atelier, alors que ce symbole représentait à tes yeux le possible suicide d'Annie. Les deux étaient intimement liés dans une sorte de concomitance incompréhensible sur le moment. Annie avait bel et bien participé à... à le pendre, quelle horreur !

« Plus tard, tu as dit *Michel Fleury* et j'ai répondu X. En ajoutant, *c'est carrément biaisé, ça.* Dans mon esprit, j'avais fait référence à X, mon dernier amant que j'appelle ainsi depuis notre rupture. Je me suis d'abord rappelé cette nuit qu'en août dernier, sur la plage, j'avais pensé que ma propre expérience avec X me servirait peut-être dans cette enquête. Troublant. Je ne croyais pas si bien dire ! Ensuite, un autre souvenir m'est revenu. Vendredi, je me suis entretenue avec mon patron et avec Michaud, de l'escouade régionale, alors que nous tentions de répondre à l'interrogation suivante : *Comment et quand Annie Després avait-elle pu perdre le pendentif en forme de cœur dans l'atelier de son amant ?* J'avais noté ceci à brûle-pourpoint : **X, variable de l'inconnue**.

« Fleury, que j'ai donc hier associé à **X**, serait la variable de l'inconnue ? Mais comment est-ce possible ? Voilà la question que je me suis posée.

« Et c'est alors que le mot *biaisé* – que tu as fort heureusement pris la peine de noter dans *c'est carrément biaisé, ça !* – a pris tout son sens. Dans mes notes de samedi matin... attends... je trouve... ce qui me posait aussi problème était ce que tu avais toi-même affirmé : *il a reçu la mort.* Quand on reçoit, Marie, c'est parce que quelqu'un ou la destinée ou je ne sais quoi d'autre nous DONNE. Ce qui signifiait donc : on a donné la mort à Fleury ! Maudit que j'ai flippé, juste là, Marie. Soit un accident ou la maladie cause la mort, soit une personne donne la mort à une autre. Ou, en dernier recours, soit on se la donne soi-même. Pour ce qui est de ce dernier choix, toutes deux n'y avons jamais cru dans le cas de Fleury. J'ai cherché le mot *biaiser* dans le dictionnaire : *prendre une direction oblique.* **La mort de Fleury a été biaisée depuis le départ**, Marie Bouchard ! Il était bel et bien mort, ça oui, mais pas dans la **ligne droite** du suicide que nous avions tracée et suivie. Michel Fleury ne s'est pas suicidé, il n'a pas tué Annie non plus. **Claire Tanguay ET Annie Després l'ont assassiné.** Ou, pour le moins, Annie a été complice d'une façon ou d'une autre. »

Les deux femmes s'étaient regardées, ahuries, complètement sous le choc des révélations. Puis Mado avait repris de plus belle :

« Ensuite, au mot *triangle*, j'ai répondu *eaux troubles* : c'est exactement ce que j'ai dit à mes collègues au retour au bureau, à la fin juillet, après l'appel de Claire Tanguay. C'est l'expression qui me vient quand on doit pousser l'enquête plus loin. Déjà, c'était ma toute première impression, il y avait quelque chose qui clochait, et cela, sans même savoir que Fleury avait une maîtresse. Il y avait bien triangle, Marie, et il avait bel et bien rapport avec des eaux troubles : les deux femmes et Fleury, les trois, dans l'atelier.

« À *conspiration*, j'ai répondu un *complot entre deux personnes*. Je n'ai pas dit *trois* ou *quatre*, juste *deux*. Claire Tanguay et Annie Després ont fomenté un complot pour assassiner Fleury.

« À *loup-garou*, ma réponse a été *monstre pas réel*. Ce qui suppose, en vérité, que Fleury n'était pas le monstre qui avait tué Annie : cette hypothèse devenait caduque.

« Tu as ensuite choisi le mot *famille*, lequel tu as extrait de mes notes parce je me questionnais à savoir pourquoi tu avais cru bon de mentionner ce mot en me parlant du nombre 18. J'ai dit : *famille, genre mari, femme, enfants*. J'aurais dû, en toute logique, répondre *père, mère, enfants*. C'est parce que la propre *femme* de Fleury était impliquée dans sa mort, cette *nuit*-là. Rappelle-toi, tu m'as bien spécifié alors que le 18 était relié à la **nuit** et non au jour, et le pathologiste a affirmé qu'il était mort en début de nuit.

« Étrangement, tu as choisi *se planter*. Maudit, que ça m'a mis mal à l'aise. *Faire fausse route* m'est venu à l'esprit, pour ajouter : ... *ça m'arrive à moi aussi*. Je m'étais donc plantée tout au long de l'enquête, j'avais fait fausse route, jusqu'à maintenant.

« *Aigue-marine* : cette pierre a été un *funeste présage*, oui, pour Fleury le premier.

« Quand tu as mentionné nos initiales, *M. B.*, j'aurais dû penser à *amitié* ou *amie*, toutefois c'est *alter ego* qui est sorti. Je me suis surprise moi-même, mais j'ai voulu connaître la vraie signification de ce terme et c'est ce que nous avons été l'une pour l'autre tout au long de cette affaire, et cela, depuis le début jusqu'à cet extraordinaire test : *personne en qui on a confiance comme en soi-même, susceptible d'agir à sa place.*

« Et on a terminé avec *Claire Tanguay* où j'ai dit *REINE* ! Que tu as toi-même répété... *trois* fois plutôt qu'une, je te signale.

« Évidemment, dès que je me suis réveillée, après avoir vu *l'autre* Claire Tanguay habillée en reine, j'ai eu un choc ! Tout de suite, en m'imprégnant de chaque association *comme si c'était la vérité*, eh bien, voilà, tout s'est emboîté.

« Mais y a un hic, Marie. Je doute fort qu'on arrive à prouver quoi que ce soit. Bien sûr, le mobile saute aux yeux. D'abord l'héritage colossal, ensuite la honte et l'humiliation subies par l'épouse, au fil des ans, qui n'ont pu que se transformer en haine viscérale et en terrible désir de vengeance. Toutes ces années pendant lesquelles il l'a trompée, avec des dizaines de maîtresses, elle devait forcément être au courant : maudit, c'était un secret de Polichinelle ! Hélas, les preuves pour l'incriminer vont être dures à trouver. C'est une femme intelligente qui sait parfaitement composer et jouer à la perfection plusieurs rôles. Je ne vois pas comment on pourrait y arriver. J'étais convaincue, déjà en juillet, qu'elle cachait quelque chose dont elle n'était pas fière. Elle a été mon tout premier suspect en quelque sorte, eh maudit ! Mais bon, il avait été prouvé que, seule, elle n'aurait jamais pu, physiquement, tuer son mari, étant donné qu'il ne portait aucune marque suspecte. Elle s'est arrangée pour trouver quelqu'un pour l'aider à réaliser son plan. Annie était la proie parfaite pour elle.

« Ce secret, j'ai cru que c'était les aventures extraconjugales de son époux, et ensuite le lien incestueux entre Rébecca et son père, mais j'étais à cent lieues de la vérité. Elle fait tout si *parfaitement,* si tu voyais sa maison ! Et moi, je suis persuadée qu'elle a agi de même dans l'élaboration et la réalisation de l'assassinat de son mari : elle a tout planifié *à la perfection.* Pendant des mois, voire des années. Et non sur un coup de tête, crois-moi, elle est tout sauf spontanée, cette femme-là !

« Sauf que le soir du meurtre et de la mise en scène, Annie perd l'aigue-marine en forme de cœur dans l'atelier. Probablement au moment de suspendre Fleury à la poutre... Voilà la faille dans la chronologie, Marie. Et moi, nom de Dieu, quand je retrouve le pendentif, je lui rends service en lui disant innocemment que c'est la pierre des natifs du mois de mars, ignorant que c'était également le mois de naissance de la fille de Fleury. Méchant hasard que je sois née, moi aussi, en mars ! Il ne fait aucun doute dans mon esprit qu'elle devait savoir que cette pierre appartenait à Annie. Alors, elle a sauté sur l'occasion inespérée : Rébecca avait, par hasard, perdu une telle pierre ! Je m'en souviens, Marie, à ce moment-là, quand je suis remontée de l'atelier, elle a passé de la panique à l'euphorie en quelques secondes à peine. Y avait de quoi : la seule preuve de la présence d'Annie chez elle et je la lui redonne sur un plateau d'argent ! Faut le faire, nom de Dieu ! Mais je n'avais aucune raison de m'en méfier. Elle s'était montrée d'entrée de jeu super honnête en affirmant que ce n'était pas un bijou à elle. Elle pourra continuer à certifier qu'elle n'avait aucune raison au monde de croire *que ce n'était pas la pierre de Rébecca.*

« Et le tour est parfaitement joué, Marie !

— Nous sommes tous plus ou moins à la recherche de la perfection, Mado, mais *la* perfection n'est pas encore de ce monde. Tu trouveras *la faute*, le moment venu », avait conclu Marie avec sagesse.

L'interrogatoire

Michaud et Bonneau mettaient les derniers détails au point avant l'arrivée du suspect, toutefois convoqué à titre de *témoin important*. Ils révisaient leur plan d'entrevue. Bonneau avait insisté pour que Robert Michaud mène l'interrogatoire, histoire de créer une diversion. Pendant plus de trois semaines, le bureau des enquêtes avait passé au peigne fin toutes les allées et venues d'Annie Després durant les six mois précédant sa disparition. Ils n'avaient trouvé qu'une seule piste. Quoique maigre, elle s'avérait engageante.

Annie était enregistrée à la bibliothèque municipale depuis plusieurs années, et y empruntait des livres et des revues sur une base hebdomadaire. Quant à Claire Tanguay, elle n'était membre de cette même bibliothèque que depuis janvier 2013! Le plus étrange est qu'elle n'avait fait aucun retrait de livres depuis la date de son abonnement. Au vu de l'enquête, cette omission paraissait suspecte. Les employés et les bénévoles avaient bien reconnu les deux femmes, mais personne n'avait pu certifier les avoir vues ensemble. C'était un très vaste local sur deux étages, truffé d'étagères et de recoins de lecture disséminés partout. Aucun membre du personnel, déjà si restreint à leur avis, ne surveillait les lieux aux heures d'ouverture du public. La bibliothécaire avait été outrée quand on lui avait demandé si les lieux étaient munis de caméras de surveillance !

« Quelle idée saugrenue ! Nous faisons confiance à nos lecteurs, voyons, il s'agit d'un lieu de haute culture, monsieur, non d'un 5-10-15 ou d'un dépanneur ! »

Bref, le personnel avait bien d'autres chats à fouetter !

Les enquêteurs avaient interrogé certains membres réguliers qui avaient fait des retraits les jours où Després en avait elle-même faits, mais sans succès là non plus. Quant à mademoiselle Côté, cette fois, elle avait été inutile. Elle n'avait jamais aperçu Claire Tanguay venir chez Annie, ni aux alentours. *Idem* pour les autres voisins immédiats d'Annie et ceux de la veuve.

« Maudit, tout le monde vit dans son petit espace virtuel de nos jours, les yeux rivés à leur téléphone intelligent ou le regard plongé dans les réseaux sociaux ou scotché à leur télé géante. Plus personne ne se rappelle avoir "vu" *de visu* quelqu'un, faut le faire ! Ça ne facilitera pas notre tâche à l'avenir, je t'en fais le pari ! Je suis certaine que c'est à la bibliothèque que Tanguay est venue à la pêche. C'est sûr. En fait, à travers une foule d'anonymes occupés à chercher des livres, à les feuilleter ou à les lire, c'était le meilleur endroit pour passer inaperçue. Elle a tout prévu dans les moindres détails, elle est tellement maniaque, tu verras quand tu vas l'interroger, elle aura réponse à tout. On dirait qu'elle emprunte les répliques des personnages de ses romans, au besoin, et... »

On venait de frapper à la porte, et la secrétaire fit entrer Claire Tanguay.

Tout de suite, Michaud pensa que le jugement de Bonneau se rapprochait de la vérité. Cette femme semblait *parfaitement* maîtresse d'elle-même. En raison d'un instinct rodé depuis des décennies, il comprit sur-le-champ que, si elle était coupable, elle leur donnerait du fil à retordre.

« Bonjour, madame Tanguay, veuillez vous asseoir. Je suis Robert Michaud, enquêteur de l'escouade régionale de Chicoutimi. J'assiste l'enquêteure Bonneau dans cette affaire. Je crois que vous vous connaissez. Bien. Nous aurions quelques questions à vous poser en tant que témoin important. Si vous le voulez bien, nous allons enregistrer la conversation et...

— Vous pouvez enregistrer ce que bon vous semble, je n'ai rien à cacher, monsieur, l'interrompit Claire, de but en blanc. Votre convocation m'a prise de court, vous savez. J'imagine que c'est encore en rapport à mon défunt mari ? Pourtant, madame Bonneau ici présente m'avait certifié en octobre dernier que vous ne m'importuneriez plus à ce sujet, récita-t-elle calmement. Je ne vois vraiment pas ce qu'il reste à ajouter. Tout a été dit.

— De nouveaux éléments sont apparus depuis octobre, justement, et ils exigent des éclaircissements.

— Si c'est pour me faire part du fait que Michel avait d'autres maîtresses, vous pouvez lais...

— Non, il n'est pas question de cela, l'interrompit poliment Michaud. Venons-en au fait, si vous voulez bien. Nous avons découvert que l'aigue-marine en forme de cœur, trouvée par l'enquêteure Bonneau en octobre dans l'atelier de votre défunt mari... Attendez, je vais vous rafraîchir la mémoire. Voici quelques clichés réalisés par Bonneau du bijou trouvé dans l'atelier. (Michaud prenait ainsi les devants : pas question qu'elle nie carrément ce fait ou bien qu'elle insinue qu'ils avaient fabriqué cette preuve de toutes pièces.) Regardez bien, s'il vous plaît... »

Il lui tendit les photos, et la veuve fit signe de la tête qu'elle le reconnaissait bien, tout cela sans la moindre défaillance.

« Eh bien, madame Tanguay, il appert que ce cœur n'appartient pas à Rébecca, mais bien à feue la maîtresse de Michel Fleury, Annie Després.

— Désolée, mais vous faites erreur, monsieur ! J'ai tout expliqué en octobre. Ma fille a perdu ce bijou, une aigue-marine offerte par son père, la pierre du mois de mars, vous pouvez vérifier avec elle et...

— L'avez-vous conservée ? l'interrompit Michaud, cherchant à la déstabiliser.

— Non, je l'ai jetée à la poubelle, affirma la veuve sans sourciller. Ma fille, comme vous le savez probablement étant donné que vous êtes si bien renseignés, souffre d'une grave dépression depuis le suicide de Michel. Elle ne voulait ni retrouver ni revoir ce cadeau offert par son père. Il était maudit, c'est ce qu'elle croyait et croit encore. Si elle avait appris où elle l'avait égaré, elle en serait devenue folle. Déjà qu'elle a été hospitalisée deux fois ! Je vous laisse imaginer les conséquences. Je n'allais pas raconter tout cela à votre enquêteure en octobre, quel intérêt pour la police ? Ce sont des histoires privées, il me semble.

— Hum... Michel Fleury a offert une aigue-marine à votre fille, c'est exact, et c'est aussi vrai qu'elle l'a effectivement perdue, consentit Bonneau. Mais sa pierre était en forme de *troïda*, autrement dit en triangle. Sans entrer dans les détails pour le moment, nous pouvons certifier que cette pierre est présentement en possession du conjoint de Rébecca, Alexis Trottier. Il affirme que sa femme vous a fait plusieurs fois la description de la pierre au téléphone, après l'avoir égarée. Quant à celle que Fleury a donnée en cadeau à Annie

Després, preuve a été faite qu'elle était bien en forme de cœur. Nous souhaitons comprendre comment cette pierre-ci (elle pointa une photographie) a pu se retrouver dans l'atelier de votre mari.

— Seigneur, mais comment voulez-vous que je le sache ? s'étonna la veuve. Je vous dis la vérité, madame Bonneau, j'ai cru que celle que vous m'aviez remise en octobre appartenait à ma fille ! J'ai d'abord tout de suite affirmé que ce pendentif n'était pas à moi, oui ou non ? (Bonneau opina de la tête.) C'est exact, Rébecca m'a détaillé la pierre quelques fois, mais je ne possède pas de bijoux, et n'y porte aucun intérêt, alors je ne retiens rien à ce propos ! Voyez par vous-même ! (Elle joint la parole au geste en étalant ses mains nues, en étirant son cou tout aussi nu, et en pointant les index vers ses oreilles, dénudées.) Ça ne m'intéresse pas. Point final. Ce n'est pas un crime, ça, que je sache ! Et quand vous m'avez dit que c'était la pierre des natifs de mars, eh bien, j'ai fait le seul lien possible dans ma tête : c'était celle de Rébecca. Ma fille est née en mars ! Eh oui, je l'ai jetée, puisqu'elle n'en voulait plus.

— Bien. Admettons. Mais le fait demeure que cette pierre appartenait à Annie Després, la maîtresse de feu votre époux, qui a elle-même disparu dans de nébuleuses circonstances et dont le corps a été retrouvé en octobre. Comment expliqueriez-vous la présence de ce bijou dans *votre* maison, plus spécifiquement dans l'atelier de votre mari ? »

Plusieurs secondes passèrent, happées par un silence soudain, lourd et tendu. Contre toute attente, Claire Tanguay se mit à geindre, puis à pleurer. Bonneau se leva et lui apporta un mouchoir.

« À quoi pensez-vous, madame Tanguay ? Pourquoi pleurez-vous ?

— ... Euh... Je n'ose pas en parler, vous allez sûrement croire que je divague, hoqueta-t-elle péniblement, mais ça me tracasse depuis des mois et... le... fait que cette algue... pardon, cette aigue-marine ait appartenu à sa maîtresse vient confirmer mon terrible pressentiment. Ah, ah, ah!... C'est trop, trop horrible. C'est inacceptable, c'est terrifiant.

— Nous vous écoutons », l'encouragea Michaud, d'une voix apaisante.

Un long silence se fit, plus électrique que le premier. Les deux enquêteurs, qui se lancèrent un regard de connivence, se demandèrent bien ce qu'elle avait en tête.

« Ça s'est passé le samedi, 27 juillet 2013... la veille du suicide de Michel, commença-t-elle en reniflant et en pleurant. Eh bien, ce jour-là, je me suis absentée dès le matin pour revenir seulement en début de soirée. Il devait être aux environs de 19 h 30. Je n'en ai pas parlé, puisqu'on ne me l'a jamais demandé, n'est-ce pas. (Bonneau comprit qu'elle marquait un point, l'enquête n'avait jamais cru bon de vérifier les allées et venues de la veuve la veille du jour du suicide de Fleury.) J'avais prévenu mon époux, le vendredi soir, que je serais absente toute la journée du lendemain. Michel vivait une période difficile, il était tellement angoissé, stressé, et parfois si brusque envers moi, ce qu'il n'avait jamais été auparavant. J'ai toujours cru, jusqu'à cet entretien avec madame Bonneau en octobre, que c'était à cause de son travail, de ses finances ou même de l'andropause.

« Ce vendredi soir, donc, nous avons eu une longue conversation sur notre couple et sur sa retraite prochaine qu'il ne cessait de reporter aux calendes grecques. Nous ne nous sommes pas querellés, vous savez. C'est vrai, je m'impatientais, j'avais tant envie que nous passions plus de temps ensemble. Je l'ai questionné sur les raisons de ce report. Avait-il

220

encore le goût de voyager avec moi comme nous l'avions si patiemment planifié au fil des ans ? Nos finances nous le permettaient largement pourtant. Bref, il a encore une fois éludé la question. Il m'a seulement dit avoir besoin de solitude et de temps pour prendre certaines décisions importantes, et moi-même je désirais réfléchir pour tenter de comprendre son comportement distant des derniers mois. D'où la nécessité de cette sortie.

« J'ai passé la matinée à l'Ermitage Saint-Antoine de Lac-Bouchette, j'ai assisté à la messe et mangé un morceau à la cafétéria. Ensuite, je suis allée à notre chalet, à Saint-Charles-de-Bourget, au bord du Saguenay. Il est situé juste à vingt-cinq minutes d'Alma, environ. Mon mari n'y allait que très rarement, alors que moi je m'y rendais souvent, pour me ressourcer. C'était devenu au fil des ans mon antre à moi en quelque sorte. J'ai marché, j'ai lu, j'ai observé les oiseaux, j'y étais seule, et en paix. »

Elle sanglota de nouveau avant de poursuivre. Et puis se moucha.

« Quand je... je suis revenue ce soir-là, mon mari était dans un état d'agitation et d'anxiété extrême. De toute évidence, il était à cent lieues de s'être reposé ou d'avoir réfléchi, lui ! Il était en sueur ! Sa chemise était froissée, ses cheveux en broussaille. Affolée de le retrouver ainsi, je lui ai demandé, bien sûr, ce qui se passait. Je ne l'avais jamais vu comme ça, si nerveux, comme désemparé. Hagard, aussi. Complètement perdu et effaré. Il m'a dit qu'il ne pouvait pas parler maintenant et il m'a demandé des cachets. Je sais bien qu'on ne doit pas faire ça, mais, le voyant dans cet état, je lui en ai donné. Un anxiolytique et un somnifère, il me semble.

« Malgré mon insistance, il a refusé de me parler de ce qui lui était arrivé dans la journée. Il n'a même pas voulu souper. Très brusquement, il m'a presque crié de lui ficher la paix, que nous discuterions le lendemain, et il est descendu s'enfermer dans son atelier. J'ai péniblement avalé une soupe, je me sentais très lasse, carrément sous le choc de ce comportement erratique. Je suis montée me coucher tôt et je me suis endormie à l'aide d'un somnifère, car je n'arrêtais pas de me retourner dans mon lit.

« Je ne sais pas... je ne peux pas continuer... c'est trop dur... »

Curieux, mais patients, les deux enquêteurs la laissèrent reprendre son calme. Et Bonneau lui offrit un verre d'eau, qu'elle accepta.

« Je... je pense deviner ce qui s'est passé ce fameux samedi. Jusqu'ici, j'ai refusé d'y croire même si, depuis octobre, je n'arrête pas d'y songer. Et là, vous me dites que ce cœur appartient à... à l'autre! Mes craintes... oui... elles seules expliqueraient la présence de ce bijou dans l'atelier. C'est terrible d'accuser quelqu'un qui ne peut même plus se défendre, non? »

Elle avait lancé ces derniers mots dans une sorte de sanglot déchirant. Michaud et Bonneau ne savaient franchement plus à quoi s'attendre.

« Si ma fille apprenait cela, elle en mourrait.

— Apprenait quoi, madame Tanguay? demanda patiemment Bonneau.

— ... Que son père est... ou a peut-être été un... meurtrier! »

Maudit, on a jamais prévu une seconde qu'elle allait utiliser elle-même cette hypothèse! C'est ce que lut Michaud dans le regard ébahi de Bonneau. Ils étaient sur la même longueur d'onde. Madeleine regrettait en cet instant de ne pas le lui avoir mentionné en octobre. Elle se souvint avoir songé alors que *ce genre de pensée chaotique était trop loin de son monde si bien organisé.* Voilà que cette hypothèse lui servirait d'alibi, à elle, Claire Tanguay? C'était trop ironique.

« Ah, vous ne dites rien! Je vois. Hum... vous avez envisagé ce scénario, j'imagine, mais aucune preuve ne pouvait corroborer vos soupçons. Peu importe si vous ne répondez pas. Voici ce que je crois, moi. Mon mari a fait venir cette... cette étrangère chez nous ce samedi-là. Dans MA maison! Ah, juste d'y penser, j'ai envie de vomir. Comment a-t-il pu me faire ça?... Vous devez savoir que Michel était très... porté sur le sexe... la sexualité. Il n'en avait jamais assez. Avec l'âge, au lieu de diminuer, eh bien, c'était tout le contraire! Certains hommes n'acceptent pas de vieillir, et lui encore moins que les autres! Il en devenait quasi obsédé, il voulait essayer plein de nouveaux... Enfin, passons.

« Il l'a fait venir ce jour-là, il devait désirer faire des *choses* avec elle que moi je refusais de faire. Ils ont sûrement eu des relations sexuelles dans son atelier, ça lui ressemblerait, ce fantasme. Et ça a mal tourné, de toute évidence. Qui sait, elle n'a peut-être plus voulu repartir? Se sont-ils querellés? L'a-t-elle mis au pied du mur, l'a-t-elle menacé de tout me raconter ou de lui mener la vie dure s'il ne me quittait pas? L'aurait-il menacée, lui, de rompre définitivement si elle lui mettait trop de pression, si elle lui tenait tête ou le faisait chanter? Peut-être a-t-elle fait une crise de nerfs, pété les plombs et commencé à le rudoyer? Quoi qu'il en soit, ce que je crois, moi, est que ce jour-là, ils en sont venus aux coups ou ils ont eu un sévère accrochage, une gifle, une rudesse quelconque, que sais-je? Et elle aura perdu ce bijou à ce moment-là. Et puis, elle est morte...

« Ce n'était sûrement pas prémédité... Enfin, mon Dieu, il faut l'espérer ! Un accident qui a mal tourné ? Qui sait si elle n'est pas tombée, en se cognant la tête ? Non... ça, vous l'auriez vu lors de son autopsie, hein ? Et peut-être pas, étant donné que son corps a été longtemps ballotté dans la rivière. Et s'il l'avait étranglée ? Je... je ne connais rien dans ce... ce domaine et je ne suis pas placée pour... Je refuse d'y penser. C'est trop horrible.

« Le fait est qu'elle est probablement morte ce jour-là et qu'il ne pouvait pas se permettre d'appeler la police. Il a disjoncté. Il a eu peur. Il a sûrement paniqué. Mon mari a possiblement caché le corps dans le coffre de sa voiture ou ailleurs, la propriété est si grande, et surtout invisible au regard d'autrui. Jusqu'à la nuit tombée, il aura eu tout le loisir d'aller et venir sans que je m'en rende compte. Il n'aura pas pris les cachets quand je les lui ai donnés, ou alors juste en rentrant. J'étais au premier étage et je dormais profondément à cause du somnifère. Il sait que j'en prends chaque fois que je suis stressée, et je l'étais. Il a déguisé son meurtre ou cette mort suspecte en jetant le corps de cette femme dans la rivière, faisant passer son décès pour un suicide...

« Madame Bonneau m'a dit en octobre que cette personne était partie quelque part en province depuis le... mercredi, il me semble. Et qu'on ne l'avait plus revue. Aurait-il pris une chambre de motel pour elle dans les environs pour être en mesure de l'y rejoindre en toute liberté ? Enfin, tout est possible.

« Michel a passé le dimanche dans son atelier, n'en sortant que pour grignoter un morceau ou aller aux toilettes. Il a refusé de me parler ce jour-là, prétextant avoir encore besoin de réfléchir. Il était différent, si lointain. Comme inatteignable. Je n'ai pas voulu lui mettre de pression, il semblait assez mal en point comme ça ! Ne pouvant vivre avec son terrible geste, sûrement dévoré par la honte et les remords, il s'est enlevé la vie dans la nuit du dimanche au lundi. Au préalable, il a sûrement repris de mes cachets, ils étaient à la vue dans la pharmacie ; il a bu aussi, pour se donner du courage, j'imagine.

« On ne saura jamais la vérité, n'est-ce pas ? Il a tout emporté avec lui, sauf cette petite pierre en forme de cœur. Il devait sûrement être amoureux fou de cette femme pour lui offrir un tel bijou ! Madame Bonneau m'a dit en octobre qu'il avait beaucoup de valeur. Voilà qui ne peut qu'expliquer son état lamentable, sa sueur, son regard hagard et tout le reste quand je suis rentrée à la maison le samedi soir. Et son comportement absolument erratique du dimanche, et... et son geste fatal, par la suite. »

Michaud comprit en cet instant à quel point cette femme était perfectionniste. Tout ce qu'elle venait de dire était crédible et se tenait parfaitement. Cette hypothèse, Bonneau l'avait imaginée la première, puis le bureau l'avait abandonnée. Impossible, désormais, de l'écarter.

En revanche, si c'était bien elle, la coupable, force lui fut d'admettre qu'elle n'avait sûrement rien laissé au hasard. Une question tarauda son esprit : et si elle avait dérobé la pierre à Annie pour justement la mettre sur les lieux de son « prétendu » assassinat ? Tout était envisageable. Elle se doutait forcément qu'on finirait par la soupçonner, elle, Claire Tanguay, attendu l'immense fortune dont elle hériterait et l'humiliation subie au fil des ans. Des mobiles par trop évidents. Elle savait qu'on découvrirait la relation extraconjugale de son mari, que le corps d'Annie referait surface un jour ou l'autre. Elle escomptait cette visite d'un enquêteur pour « revisiter » l'atelier... Si elle était coupable comme le croyait Bonneau, Tanguay avait sûrement tout prévu afin de pouvoir, le moment voulu, accuser Fleury du meurtre de sa maîtresse. La tâche pour trouver des preuves l'incriminant, elle, s'avérait donc colossale.

« Eh bien, c'est une... une très forte possibilité, en effet, dut admettre Michaud. (Il l'admit volontiers parce que c'était vrai, mais aussi pour ne pas éveiller ses soupçons quant à l'autre hypothèse : celle de sa culpabilité.) Mais dites-moi, madame Tanguay, pourquoi ne pas nous avoir fait part de vos doutes plus tôt ?

— Vous avez perdu la tête ou quoi ? le harangua-t-elle sans ménagement. Depuis octobre dernier, et jusqu'à cette annonce, là, tantôt, au sujet de ce pendentif, ce... maudit cœur, je n'avais que des soupçons, voyons ! Et même si je pensais qu'ils étaient très sérieux, je ne pouvais pas me permettre de les dévoiler. Ma fille, Rébecca, ne supporterait jamais de savoir que son père est un assassin, elle en mourrait, la pauvre enfant ! La réputation de notre famille entière serait ternie. L'avenir de mes petits-enfants serait hypothéqué, marqué au fer rouge ! Moi, passe encore, j'aurais fait front... Enfin, je crois. De toute façon, il est MORT ! Il a payé de sa vie son meurtre, prémédité ou non. N'a-t-il pas payé assez cher pour son crime ou sa non-assistance à personne en danger ? Mon mari ne se serait jamais, JAMAIS enlevé la vie dans d'autres circonstances. Seul le fait de ne pas supporter de vivre avec les conséquences d'un tel geste a pu le conduire au suicide. Tout le monde a dû vous le dire, non, qu'il n'était pas du tout un candidat au suicide ? Au début, jusqu'à ce mois d'octobre, je ne voyais, moi, que de graves soucis financiers, son état plus ou moins dépressif, ses inquiétudes, ses angoisses... Je me sentais tellement coupable de ne pas comprendre, de n'avoir pas vu venir, mais j'étais bien loin du compte.

« De plus, comme vous-mêmes n'avez jamais évoqué cette hypothèse, il aurait été déplacé de vous en faire part. C'est vous, les enquêteurs, pas moi, et vous connaissez parfaitement votre métier, conclut-elle, avec une humilité à faire taire toute répartie adverse.

— Bien, ce sera tout pour le moment, conclut Michaud, avenant. Je vous demanderais seulement de ne pas quitter la région sans nous avertir au préalable, s'il vous plaît.

— Ah bon ? Comme vous voulez. Je vous remercie de votre écoute. Puis-je vous poser une question à mon tour ?

— Allez-y, on verra si nous pouvons y répondre.

— Sera-t-il nécessaire d'ébruiter tout cela ? Je parle des médias.

— Nous ne pouvons rien promettre pour l'heure. Nous verrons. Nous devrons tout de même vérifier certaines de vos allégations quant à cette journée de juillet vous concernant. Vous le comprenez, n'est-ce pas ?

— Bien sûr. Vous trouverez sûrement des témoins qui m'ont vue à l'oratoire, le matin, j'y connais beaucoup de monde, et aussi à mon chalet. ... Tiens, je me souviens que je me suis arrêtée au dépanneur de Saint-Charles et que j'ai jasé avec la propriétaire, nous sommes de vieilles connaissances. Nous avons des filles du même âge et c'était justement l'anniversaire de la sienne ! Quel hasard ! Mais je ne vous dirai pas comment faire votre travail, n'est-ce pas ? Sur ce, je vais vous laisser, j'ai encore quelques courses à faire avant de rentrer ! Je me sens... à la fois triste et soulagée. »

***

« Michaud, mautadit, pourquoi tu ne l'as pas interrogée pour la bibliothèque ? questionna aussitôt Madeleine, une fois la porte refermée.

— Non, Mado, c'est trop faible pour le moment. Si, et je dis bien **si**, elle est coupable, elle doit absolument croire que son plan fonctionne. Mais, sapristi, avoue que ce qu'elle vient de nous défiler là, c'est du solide. Ça reste parfaitement envisageable. Toi-même, tu n'en démordais pas à une époque, non ? Mieux valait ne pas lui donner gratis le seul élément à charge en notre faveur, si ténu soit-il ! Tu m'as bien spécifié qu'elle possédait des centaines de bouquins. Elle aurait probablement rétorqué qu'il n'y a qu'une bibliothèque à Alma, qu'elle s'y rendait faire ses choix pour pouvoir les acheter ensuite, parce qu'elle n'aimait pas emprunter des livres salis, touchés par des dizaines de personnes avant elle, ou je ne sais quoi d'autre. Et aussi que la bibliothèque devait bien avoir des milliers de membres issus de toute la région. Elle avait sûrement une réponse toute prête, au cas où elle serait effectivement coupable.

« Tu sais à quoi j'ai pensé tantôt, Bonneau ? Le bijou en forme de cœur, c'est peut-être elle qui l'a placé là, dans l'atelier, pour qu'un policier le retrouve, un jour ou l'autre. Serais-tu tombée dans le piège qu'elle nous aurait *parfaitement* tendu ? Sacrament, ça voudrait dire qu'elle serait très forte. Et en grande maîtrise d'elle-même. À couper le souffle !

« **Si** elle est coupable, alors ça signifierait qu'elle sait pertinemment que nous n'avons toujours aucun élément à charge contre elle, aucune maudite preuve pour l'incriminer, et qu'il nous est difficile, voire refusé, d'obtenir un mandat de perquisition sur la seule base d'hypothèses et de mobiles, si solides et envisageables soient-ils ! Sauf que là, la veuve vient de nous fournir un motif plus que valable pour perquisitionner sa demeure, rien de moins qu'une présomption de meurtre chez elle ! ... Pourtant...

— À quoi penses-tu, Michaud ?

— Pourtant, c'est étrange. Ça ne colle pas trop. On reste dans l'hypothèse qu'elle soit coupable, OK ? Cette déposition, elle devait bien se douter qu'un jour ou l'autre, elle aurait à la faire. Même qu'elle l'attendait, car ce serait le meilleur et le plus sûr moyen de se disculper définitivement en accusant son mari du meurtre de sa maîtresse, qui devient la cause évidente de son suicide. Elle devait donc savoir que nous aurions alors un motif de perquisitionner. Et elle nous l'aurait fourni elle-même sur un plateau d'argent ? Hum... si, je répète SI c'est le cas, c'est qu'elle est certaine que nous ne trouverons absolument rien dans sa demeure, Mado.

— ... Maudit, t'as pas tort, Michaud ! ... Laisse-moi réfléchir... Hum, elle aura peut-être tout de même fait là une erreur. Je dis bien *peut-être*. Il faut lui apprendre à ses dépens qu'on le connaît *parfaitement,* notre foutu métier !

— Tu parles du mandat de perquisition ?

— Ouais. À la suite à sa déposition, on peut faire dare-dare une perquisition. N'a-t-elle pas présumé qu'un meurtre ou un cas grave de non-assistance à personne en danger a été commis dans sa maison ? Alors la police se doit d'intervenir, non ? Et elle va le faire... mais *illico presto*. Sur-le-champ. Seul le temps est notre allié, Michaud. La prendre de court, c'est peut-être notre unique chance. Occupe-toi de compléter l'affidavit et d'obtenir le mandat, pendant que je réunis la gang et qu'on part tout de suite.

— Excellent plan, Bonneau ! Je m'y mets *dret* là ! »

Pendant que Bonneau se précipitait pour rassembler le groupe tactique d'intervention, Michaud composa rapidement le numéro de téléphone d'un juge disponible (ils étaient deux dans la région), lequel, fort heureusement, décrocha aussitôt. L'enquêteur lui expliqua très brièvement la situation. Le fameux télémandat dont ils avaient besoin arriverait dans l'heure ou dans les deux prochaines heures suivant la réception de l'affidavit.

« Rien ne vous empêche de vous rendre sur les lieux en l'attendant, confirma Michaud à Bonneau qui revenait l'avertir qu'ils étaient prêts à partir. Vous retenez le "témoin important" dehors, jusqu'à l'arrivée du mandat. Je viendrai moi-même avec. Je ne veux pas paraître pessimiste, Bonneau. Mais ça m'étonnerait qu'on trouve quoi que ce soit. La seule chose qu'on a découverte à ce jour, c'est peut-être elle qui l'a mis en évidence. Toi-même, t'as déjà vérifié l'atelier de fond en comble en octobre. Ça fait dix mois, tu sais. Fais-toi pas trop d'illusions, OK ? L'hypothèse qu'elle a soulevée tantôt demeure aussi une très forte probabilité. Bien, partez immédiatement à sa résidence pour la perquisition. Vite, avec gyrophares, sirènes, et tout le branle-bas de combat. Il faut arriver en même temps qu'elle, et **avant** elle, si possible. On doit l'impressionner au maximum. Elle a mentionné avoir quelques courses à faire, ça nous donne un léger avantage. Espérons qu'elle n'a pas lancé ça juste pour nous montrer qu'elle n'avait rien à redouter de notre part ! Le temps est probablement notre seule chance de la coincer ou de fortement l'ébranler comme tu dis, si elle est coupable, évidemment. Bonne chance, Bonneau !

— Ouais, on en aura grandement besoin, je pense. »

La mort au pluriel

En arrivant au bout de sa rue, Claire Tanguay aperçut trois autos de police, plus une fourgonnette, stationnées devant sa demeure. Les battements de son cœur s'affolèrent à la vitesse grand V et des fourmillements attaquèrent ses avant-bras, si bien qu'elle perdit légèrement la maîtrise de son véhicule. Elle se força à reprendre le contrôle de son corps qui la lâchait sans crier gare. Elle avait escompté qu'ils se présenteraient, bien sûr, c'était logique après la fracassante déposition qu'elle venait de faire, mais pas si tôt, pas là, juste maintenant, pas avant d'avoir pu ranger... Dire que son arrêt à la librairie lui avait fait faire un détour inutile, puisqu'elle n'avait rien trouvé d'intéressant. Pour l'une des premières fois de sa vie, elle lâcha une série de jurons vulgaires.

En se rapprochant, elle aperçut cette policière, cette enquêteure Bonneau, sortir de son véhicule. Elle ressentait beaucoup d'antipathie mêlée de jalousie pour cette grande et belle femme qui parvenait non seulement à prendre sa place, mais à rester féminine au sein d'une cohorte de justiciers mâles et musclés. Claire avait vite compris, et cela depuis le début, que Bonneau, plus que quiconque à la police, la soupçonnait plus ou moins de quelque chose. La veuve aurait préféré avoir affaire à l'autre enquêteur, celui de Chicoutimi, Michaud. Il semblait accommodant. Un vrai gentleman. Mais, plus que tout, elle aurait aimé que ce soit plus tard. Elle était si fatiguée de ce cirque! Mais elle ferait avec. Tout ce qu'elle désirait en cet instant était d'en finir une fois pour toutes avec cette sale histoire.

« Qu'est-ce qui se passe, madame Bonneau? Y a-t-il un problème dans le voisinage? demanda-t-elle candidement à travers la vitre baissée.

— Non. Nous attendons un mandat pour perquisitionner votre maison, madame Tanguay, répondit Madeleine d'une voix professionnelle. Il devrait arriver incessamment.

— Ma maison? Et pour quelles raisons?

— Vous le demandez? Vous venez de nous informer qu'il y a possiblement eu un meurtre à cette adresse, alors nous sommes ici pour enquêter et chercher des indices. C'est la règle dans un tel cas, vous savez.

— Oui, je le conçois. Mais ça fait plus de dix mois, et vous-même avez visité l'atelier en octobre dernier!

— Vous l'avez dit: je l'ai visité et non perquisitionné. Nous devons passer toute la maison et les dépendances au peigne fin, madame. Veuillez rester dans votre véhicule, s'il vous plaît.

— Mais pourquoi? On peut entrer, vous savez! Je n'y vois aucune objection! Vous n'aviez qu'à me téléphoner ou à m'avertir, je vous aurais ouvert ma porte; je vous ai dit tout à l'heure que je n'ai rien à cacher. Je ne comprends pas...

— La procédure est enclenchée et le mandat ne devrait plus tarder, mon collègue va l'apporter. Retournez à votre véhicule et attendez qu'on vous fasse signe.

— Bien, c'est vous qui savez », répondit Claire Tanguay d'un ton soumis.

Une fois à l'intérieur, assistée de Michaud, Bonneau prit les commandes, délégua les tâches et ordonna que la veuve reste assise au salon sans bouger, en compagnie d'un policier.

« Veille à ce qu'elle ne touche à rien. RIEN, compris ?

— Reçu cinq sur cinq, patron. »

Très calme, Claire se plia de bonne grâce à cette exigence, exprimant seulement le souhait d'aller se chercher un verre d'eau, ce qui lui fut accordé, mais non sans l'escorte du policier. Bonneau lui demanda d'apporter la clé de l'atelier au passage. La veuve mentionna alors qu'ils ne trouveraient rien appartenant à son défunt mari. Exception faite du contenu de l'atelier, car elle s'était débarrassée, en les donnant à diverses associations caritatives, de tous ses effets personnels : vêtements, accessoires de toilette, documents, cellulaire, ordinateur portable et le reste.

Plusieurs policiers et techniciens en scène de crime s'affairèrent pendant trois heures à fouiller les moindres recoins de toutes les pièces de la maison, atelier inclus, alors que d'autres passèrent le garage, la remise et les alentours de la demeure au peigne fin, tel que prévu. Tout cela sans résultat.

Visiblement très déçue, Bonneau revint au salon, où Claire Tanguay affichait un calme olympien. Michaud arriva pour lui annoncer que tout l'intérieur et l'extérieur de la résidence avaient été vérifiés, et conclut :

« Il ne reste que cette pièce, Bonneau.

— OK. On s'y met. »

Ils soulevèrent les coussins des fauteuils et du divan, ouvrirent les tiroirs des guéridons, inspectèrent l'arrière des cadres sur le mur. Une fois devant l'imposante bibliothèque, un policier demanda :

« Doit-on sortir tous les livres ? Y'en a des centaines...

— Oui, allez-y, ordonna Bonneau sans état d'âme.

— Mais vous n'y pensez pas ? s'écria la veuve, soudain très en colère. Ce sont mes livres, MES livres, mon mari n'y a jamais eu accès, comme moi pour son atelier. C'était une sorte de pacte entre nous. Et c'est sur lui que vous enquêtez, pas sur moi ! Tout ce qu'il a fait, c'est la bibliothèque elle-même. Ces livres sont précieux, certains sont des objets de collection et ont une grande valeur ! Vous allez les abîmer avec vos mains sal... OK, vous portez des gants, mais tout de même ! Madame Bonneau, je vous en prie, s'il vous plaît ? C'est ridicule. »

À ce moment précis, un infime détail retint l'attention de Bonneau : Claire Tanguay ne cessait de replacer ses cheveux derrière les oreilles, et l'enquêteure se souvint qu'elle avait eu ce tic en octobre. Avait-elle ce geste répétitif quand elle était nerveuse, inquiète ou angoissée ?

« Attendez... ce ne sera peut-être pas nécessaire... »

Claire se détendit instantanément et laissa ses cheveux tranquilles.

« Ah, enfin, vous revenez à la raison. Tout de même ! Mon défunt mari n'a jamais lu un seul livre de sa vie ! »

Madeleine la fixa. La veuve soutint son regard et lui fit même un gracieux sourire. Trop gracieux pour une femme qui, justement, n'avait aucune grâce intérieure. De manière inattendue, l'unique association que Bonneau n'avait pas vraiment pu s'expliquer dans le jeu avec Marie lui revint en mémoire. À *littérature*, elle avait répondu *écrire et livres*. Elle s'était étonnée de ne pas avoir dit : *écrire et lire*, notant au passage qu'elle avait dû songer à l'imposante bibliothèque de Claire Tanguay, devant laquelle elle se retrouvait pour une... troisième fois !

Écrire et livres... Écrire et livres... Écrire et livres...

Elle se revit en ce même endroit, en octobre, alors que la veuve était allée chercher la clé de la porte de l'atelier. Parmi tous ces bouquins parfaitement rangés et ordonnés, un roman était à l'envers et elle s'était dit qu'il avait échappé au cerbère. Depuis qu'elle côtoyait cette femme, c'était l'unique imperfection qu'elle pouvait lui reprocher.

« ... de les faire tous. Un seul suffira, je crois. »

Bonneau se dirigea vers la bibliothèque, dans la section consacrée aux auteurs dont le nom commençait par la lettre T. Lentement, elle caressa les bouquins jusqu'à se rendre à...

Claire Tanguay devint livide.

« Ne touchez à rien, vous n'avez pas le droit ! Ce sont MES livres, ils n'ont rien à voir avec mon mari, vociféra-t-elle en furie, en se lançant sur la policière.

— Nous avons **tous** les droits lors d'une perquisition. Gauthier, Simard, retenez madame. Elle semble sur le point de défaillir. »

En effet, Claire Tanguay, d'une pâleur cadavérique, vacillait comme une toupie. On l'aida à s'asseoir sur le divan. La veuve paniquait, de toute évidence. Ce qui eut pour résultat d'alerter tous les sens de Madeleine. En prenant le roman de Tolstoï dans ses mains, *Anna Karénine*, elle sentit le même courant d'air d'un froid mortel qu'en octobre. Anna... Annie... qui s'était, elle aussi, suicidée. Elle tourna les pages et découvrit, à la toute fin, plusieurs feuilles, d'un papier extrêmement délicat, parfaitement pliées en deux. Curieuse, elle les déplia, et les deux mots qu'elle lut sur la première page, dans une police d'écriture ferme, lui glacèrent le sang.

« Eh merde ! » lâcha-t-elle, dépitée et médusée.

Elle se sentit soudain mal à l'aise et fit volte-face.

Mille pensées tourbillonnaient dans sa tête, balayant brutalement son hypothèse comme feuilles d'automne au grand vent. Fleury était finalement le coupable ! Et il avait laissé une confession à sa femme. Il l'avait soigneusement cachée dans le roman préféré de celle-ci, sûrement pour alléger sa conscience. Mado n'avait pas ouvert le livre en octobre, et probablement que la veuve n'y avait pas touché non plus depuis que Fleury l'avait lui-même... replacé à l'envers ! C'était lui, finalement, l'auteur de l'unique imperfection présumée de Claire Tanguay. La veuve était une femme parfaite, et surtout parfaitement innocente.

Le silence était pesant, figé, on ne savait pas comment ni pourquoi. Seule la respiration saccadée de Claire Tanguay l'entrecoupait. Les policiers, les techniciens et Michaud, quant à eux, retenaient leur souffle.

« Bonneau, ça va ? » demanda enfin Robert, surpris de la réaction plutôt inappropriée de sa collègue.

Le rouge aux joues, elle se retourna.

« Oui... oui. (Elle se força à respirer normalement.) Madame Tanguay, je crois que votre ma... »

C'est seulement à ce moment précis, de nouveau en maîtrise d'elle-même, qu'en baissant les yeux sur la première page des feuillets, elle remarqua un détail qu'elle n'avait pas vu quelques secondes plus tôt. Les deux mots de ce qui semblait être un titre n'avaient évidemment pas changé. C'était la dernière lettre de chacun des deux mots qui lui causa un émoi invraisemblable, l'empêchant soudain de respirer : un *s*. La lettre du... pluriel ! ? *On ne peut quand même*

*pas faire ce genre de faute grammaticale dans de telles cir-
constances, maudit! Ça tient pas la route... Michel Fleury,
si c'est lui le meurtrier, n'aurait supprimé qu'une seule personne... Ce texte ne peut donc pas être de lui...*

Et elle entendit clairement dans sa tête Marie qui lui disait : « ... la *perfection n'est pas encore de ce monde. Tu trouveras la faute, le moment venu.* »

Meurtres parfaits

« Qu'est-ce que c'est que... *ça* ? demanda alors Bonneau
d'un ton glacial en s'adressant à la veuve et en exhibant le
paquet de feuilles devant son visage. Expliquez-vous. Vous
venez d'affirmer que votre mari n'a jamais touché aux livres
de cette bibliothèque... Donc ?

— Eh bien... euh... non, ça n'appartient pas à Michel,
évidemment... Euh... On dit que les gens qui lisent beaucoup
et depuis longtemps peuvent avoir ou développer certaines
aptitudes pour l'écriture. Depuis la mort de mon *cher époux,*
je m'ennuie beaucoup. Devenir veuve à 60 ans, c'est inhu-
main... Nous avions fait tant de beaux projets et...

— Venez-en au fait, madame Tanguay, la coupa
Madeleine sans ménagement. (Sa gorge était tellement sèche
que les mots sortaient difficilement de sa bouche.)

— Oui, oui, excusez-moi. Je cherchais des activités pour
meubler ma pesante solitude. Alors, je me suis mise à l'écriture. C'est... c'est une nouvelle, pour un concours littéraire.
C'est très ordinaire, vous savez, c'est juste une ébauche. Les
polars, les suspenses, les thrillers, les enquêtes policières,
tout ça m'a toujours follement intéressée et... »

Madeleine ne put retenir un sourire narquois en entendant ce *follement.* Un mot tout à fait inadapté à celle qui

venait de l'employer. Elle se rapprocha de l'imposante bibliothèque, colla son nez aux livres et fit aller son regard le long des étagères. Lentement, sans se presser. La veuve continuait de discourir, mais Bonneau ne prêtait plus attention à ses paroles.

« Voyons un peu... A... B... Chrystine Brouillet ? ... Non. Dan Brown ? Non plus. C... Je ne vois pas d'Agatha Christie. Maxime Chattam, peut-être ? ... Eh non ! Michael Connelly ? ... Pas davantage. Higgin Clark ? Rien. K... Stephen King ? Négatif. Sûrement Simenon alors... Non plus !? Étonnant, madame Tanguay, que l'on ne retrouve aucun auteur dans ces genres particuliers, non ?

— Je... euh... eh bien, je les emprunte à la bibliothèque municipale, ceux-là, je ne peux quand même pas tous les acheter. Ça revient très cher à la longue. C'est le genre de bouquin qu'on ne lit qu'une fois, vous savez. Vous voulez bien me redonner mon texte, je serais gênée que vous le lisiez, il est plutôt médiocre.

— Vous mentez, madame Tanguay.

— Je vous défends de me traiter de ment...

— Vous n'êtes membre de la bibliothèque de la ville que depuis janvier 2013 et, qui plus est, vous n'avez fait aucun retrait de livres depuis cette date ! Absolument zéro, madame ! fit-elle en joignant le geste à la parole par un cercle avec son pouce et son index. Nous avons vérifié (elle lança une œillade de connivence à Michaud, qui la lui rendit). Je vais quand même lire la première page de cette... nouvelle, comme vous dites. Nous sommes du métier, peut-être serons-nous des critiques valables ?

— NON ! Non... Ce n'est pas que j'en doute, c'est juste que c'est tellement ordinaire, vous savez. Je me sentirais très gênée. »

Sans crier gare, elle se rua sur Bonneau pour lui arracher les feuilles. L'enquêteure l'esquiva de peu.

« Hum... j'insiste, madame, laissez-nous en juger. Ne soyez pas si timide, voyons, nous serons conciliants. Reprenez votre place sur le divan pendant que je lirai la première page à haute voix, au bénéfice de mes collègues. Je vais d'abord faire circuler la page sur laquelle le titre que vous avez privilégié apparaît... »

Toute l'équipe demeura bouche bée quand ils découvrirent le titre en question. Michaud sentit un frisson d'angoisse à la vue de cette lettre *s*. Un pluriel qui signifiait non pas un meurtre, mais bien... deux ? !

* * *

Entre prologue et épilogue

« *Les écrivains vivent la vie plus intensément que les autres, je crois.* »

Cette phrase tirée d'un excellent roman de Joël Dicker a été une révélation pour moi, et aussi un déclencheur. Sur l'échelle de l'intensité, ce que j'ai réussi à accomplir se situe incontestablement au paroxysme. Donc, forcément, le talent d'écrivain est, en moi, latent.

Même si c'est en partie grâce aux auteurs que j'ai fini par me libérer, en les lisant patiemment et amoureusement, je dois maintenant développer ce potentiel artistique en moi, car, depuis trop d'années, je ne vis qu'à travers eux ! Écrire, pratiquement tout le monde sait le faire. Mais écrire des milliers de mots qui feront toute une histoire qui se tient du début à la fin, c'est déjà différent. Mais surtout, ce qui devient exceptionnel, c'est de faire en sorte que cette histoire et ses personnages restent longtemps accrochés dans l'esprit ou le cœur d'un lecteur.

Alors, quoi écrire ? Et comment ?

Pendant plusieurs jours, je me suis familiarisée avec le traitement de texte et le correcteur que j'avais rarement utilisés à ce jour, sinon pour la correspondance routinière. Puis, confiante et emballée, il faut bien le dire, j'ai ouvert un nouveau document, certaine que les mots naîtraient aisément et spontanément. Or, à mon plus grand regret, ce fut loin d'être le cas. Rien ne me venait à l'esprit. Je n'avais absolument aucune espèce d'inspiration. Pas la moindre idée. Force me fut d'admettre que j'étais incapable ne serait-ce que d'écrire une toute petite première phrase! Je me suis sentie vraiment nulle et insignifiante. Comment une simple page blanche pouvait-elle à ce point devenir un monde de noirceur?

Et puis, un matin d'automne, juste après la visite de cette femme enquêteure, je me suis souvenue d'avoir déjà entendu que les meilleures histoires sont celles dans lesquelles l'auteur met une très large part de lui-même, que ce soit pour exprimer des sentiments ou des émotions à travers ses personnages ou pour relater des expériences vécues...

Ce que je venais de réaliser à la perfection, moi, l'anonyme Claire Tanguay, la si peu pétillante Claire Tanguay, s'avérait-il un terreau fertile pour l'écriture? Qu'avais-je à perdre à essayer?

Et je me suis lancée. Et, bien sûr, c'est vite devenu facile, et génial.

Pour le moment, c'est un court récit, celui d'une histoire vraie: la mienne, celle de personne d'autre! Il vaut mieux la coucher sur le papier maintenant, car avec les années, la mémoire peut jouer de très vilains tours. Un jour, quand le temps aura lui aussi *fait* magistralement *son œuvre*, recouvrant l'atelier de poussières et d'oubli, faisant officiellement de mon cher époux l'acteur *idéal* d'un terrible drame passionnel, meurtre d'abord et suicide obligé par la suite, je n'aurai qu'à changer les noms, les lieux, les décors, les saisons. Je peaufinerai le texte, l'allongerai, le qualifierai, le conjuguerai à tous les temps imaginables, et j'en ferai un

roman **parfait** que je présenterai aux éditeurs sous un pseudo-
nyme original.

Seul le titre demeurera. Et lorsqu'il paraîtra, cela signifiera
que je vivrai intensément, mais alors... *en toutes choses.*

***

Tous, abasourdis, foudroyés, avaient le regard rivé sur
cette femme menue, délicate, à l'air si fragile. En la fixant
longuement, espéraient-ils comprendre l'incompréhensible
ou voir l'invisible? Car il leur était extrêmement difficile,
en cet instant précis, d'accepter qu'une personne dégageant
tant de bienséance, de perfection, d'érudition, de belles manières et d'attraits agréables puisse recéler autant de vilenie
et de bassesse. C'était sûrement l'un des volets les plus exi-
geants de leur métier: le pire pouvait se retrouver là où jamais vous ne l'attendiez...

« Claire Tanguay, vous... vous êtes... en... en état d'arres-
tation, réussit à balbutier Bonneau d'une voix chevrotante.
Emmenez-la au poste et faites-lui part de tous ses droits,
puisque madame aime la lecture », ajouta-t-elle complètement sous le choc du pluriel dans le titre, qui impliquait
bien... un... un double meurtre.

Jamais le bureau n'avait envisagé une telle possibilité,
étant donné l'incontestabilité du suicide d'Annie Després.
Michaud, tout aussi ébahi que sa coéquipière par la conclusion de cette perquisition, restait aphone. Il s'approcha de
Madeleine:

« Bravo, Mado, c'est le résultat de ton travail acharné,
et de ta détermination. Et de ton flair exceptionnel! Chapeau, vraiment! J'en reviens pas du dénouement!

— Merci, Robert. C'est une victoire d'équipe, tu sais. Dis à Pronovost que j'arrive, ce ne sera pas long. Trouvez les clés de la maison et laissez-les-moi. Emportez seulement l'ordinateur. Je fermerai en partant, ajouta-t-elle en s'adressant à ses collègues, encore atterrée.

— Je... je voudrais... poser une question à madame Bonneau ! quémanda l'inculpée, sidérée, stupéfiée, qui ne parvenait pas à croire à ce terrible revirement de situation.

— Allez-y, vite, et une seule, acquiesça Madeleine qui se doutait de l'interrogation à venir.

— Comment... avez-vous deviné pour le livre, je ne comprends pas ! Il y en a des centaines ! C'était... impossible. Impossible !

— Eh bien, inutile de rentrer dans tous les détails, mais je vous dirai ceci. Lors de ma visite en octobre, tout était parfait dans votre maison, excepté une petite chose. Une seule, madame Tanguay ! Ce roman, probablement l'un de vos préférés, était à l'envers dans les rayons de la bibliothèque que je regardais de près quand vous êtes allée chercher la clé de l'atelier. Je l'ai replacé moi-même à l'endroit, en notant le titre. Un livre que j'avais déjà lu, au collège. Le prénom, *Anna*, dans le titre, m'a fait penser à Annie, qui s'était elle aussi suicidée, et j'ai trouvé la coïncidence macabre. Impossible pour moi de l'oublier, donc. Je ne l'ai pas ouvert, toutefois. Et puis, vous avez eu ce tic, le même que vous avez eu en octobre quand je suis remontée de l'atelier. Un tic nerveux, sûrement. Simple intuition féminine, sans plus ! Sous le coup de la surprise, tout à l'heure, je n'ai pas vu les *s* dans le titre que vous avez choisi, et j'ai bêtement cru de prime abord à une confession de votre mari, donc à une terrible méprise de ma part vous concernant. Mais... il n'en était rien.

« Vous saviez très bien que nous ne venions pas ici UNI-QUEMENT pour enquêter sur le meurtre prétendument commis par votre époux, n'est-ce pas ? Vous vous attendiez sûrement à une perquisition, après votre nouvelle déposition au cours de laquelle vous accusiez votre mari de l'assassinat de sa maîtresse, mais pas **immédiatement** après celle-ci ! Vous pensiez donc avoir largement le temps de dissimuler ces écrits. Facile de les enterrer dans votre grande propriété, ou de les cacher ailleurs car, à mon avis, vous ne les auriez pas brûlés. L'orgueil, ah, ça peut jouer de très vilains tours, n'est-ce pas !

« Nous n'avions rien contre vous, aucun élément à charge, et voilà que vous nous fournissez le prétexte idéal pour perquisitionner ! Et même en prévoyant ce scénario, vous avez oublié ou négligé la notion du **temps**. J'ai joué cette carte de la vitesse et elle nous a réussi. C'était la seule que nous avions. Il appert que vous avez commis là votre erreur fatale, Claire Tanguay. Le **temps**, dans les enquêtes policières, est souvent un atout primordial. Ça, vous l'auriez sûrement appris si vous aviez effectivement lu des polars.

« Ah, en passant, le titre que vous avez choisi n'a d'autre sens que celui de vous inculper pour un double meurtre. Et croyez-moi, on ne vit pas **intensément** dans une cellule de prison, madame Tanguay : *on y meurt à petit feu !* Embarquez-la ! »

Une fois seule dans le salon, Bonneau prit le temps de se calmer, alla se chercher un verre d'eau... *ordinaire* – en souriant à cette anecdote d'octobre –, puis s'assit confortablement et commença sa lecture. Elle garda ses gants pour ne pas altérer les empreintes de Claire Tanguay sur le délicat papier...

***

243

Cette *chère* enquêteure Bonneau! Elle aurait sûrement succombé au charme de mon mari, celle-là! Il aurait sûrement, lui, adoré épingler une policière sur son prestigieux tableau de chasse!

Madeleine en eut le souffle coupé. Elle ne s'attendait pas à cette entrée en matière, Fleury et X faisaient vraiment partie de la même race de prédateurs.

Depuis le début de cette histoire, Bonneau, l'enquêteure avec un précieux *e*, a eu des doutes. Plus que quiconque, j'en suis certaine. J'étais contente que ce soit elle, en octobre. Ça m'a amusée de la berner, de la prendre si facilement au piège! Et ça m'a réjouie de comprendre ce jour-là qu'elle m'avait enfin rayée de sa liste de suspects potentiels!

Concernant la mort de Michel, je n'éprouve aucun regret, aucun remords, sinon celui de ne pas avoir pu la précipiter plus tôt. Quant à l'autre mort, eh bien, je dirais qu'elle a fait partie des dommages collatéraux. Annie voulait en finir, de toute façon. J'avais bien pensé qu'il me faudrait peut-être m'en débarrasser, mais, honnêtement, dans le plan initial, je n'avais rien prévu de précis. Je me suis dit que je verrais bien, le moment venu. Et le *moment venu* s'est avéré... providentiel. J'aime à penser, dans son cas, qu'il s'agit en quelque sorte d'un suicide assisté.

La première fois qu'il m'a trompée, juste avant la naissance de Rébecca, j'ai pardonné. C'était avec une de mes collègues de travail qu'il avait rencontrée lors d'un souper de Noël auquel nous nous étions rendus, en couple. C'est grâce au parfum de cette femme qui s'était imprégné sur ses vêtements à lui que j'ai deviné. J'avais déjà en sainte horreur cette fragrance particulière qu'elle mettait même pour venir soigner les malades. Je lui en avais fait la remarque un jour, remarque qu'elle n'avait pas appréciée d'ailleurs. J'ai toujours eu l'odorat hyper développé. Je détecte la moindre odeur étrangère ou suspecte à dix pieds à la ronde. À cette époque-là, j'étais follement amoureuse de mon mari. Qui ne l'a pas été?

La seconde fois, c'était avec une secrétaire, je crois. J'ai menacé de le quitter avec notre bébé, sans aucune envie de mettre ma menace à exécution. J'étais encore sous son charme, envoûtée comme toutes les autres femmes qui avaient la chance de le côtoyer. Il a juré qu'il ne recommencerait plus, jamais. Je l'ai cru, comme la gourde que j'étais. La troisième fois... j'ignore avec qui. Sinon qu'il a fait le serment *sur notre enfant* que cela ne se reproduirait plus. La quatrième... je ne m'en souviens plus. La dixième, encore moins. Peut-être est-ce à la vingtième fois que j'ai commencé à le détester, et à la centième que j'ai commencé à le haïr? C'est arrivé, ça, c'est sûr.

Entre-temps, il avait fondé son entreprise, et le succès, dès le départ, a été au rendez-vous. Il avait des mains en or, Michel Fleury, tout lui réussissait. Il était béni des dieux, rien de moins. C'était un beau parleur, un don Juan, un *play-boy* irrésistible. Mais aussi un fieffé menteur. Et un grand manipulateur. Et un pitoyable avare. Il a vite installé un atelier au sous-sol de notre résidence pour y fabriquer des meubles et divers objets en bois qu'il revendait au prix fort, au *noir*, évidemment. Après la naissance de notre deuxième enfant, un garçon, il m'a demandé de rester à la maison, prétextant que je n'avais plus besoin de travailler, puisqu'il pourvoyait largement aux besoins de notre famille. Que ce serait bien de m'occuper de l'éducation des petits à plein temps. *Tu seras une parfaite reine du foyer*, m'a-t-il susurré à l'oreille et sur... l'oreiller, évidemment. J'ai accepté. J'en avais ras le bol de faire les quarts de nuit à l'hôpital. Cela me permettrait de consacrer tout mon temps au ménage et à la lecture. L'éducation des petits? Moi? Sur ce compte-là, et sur tant d'autres me concernant, Michel s'est planté. J'ai mis «son argent sale» et «mes voisines propres» à contribution de gardiennage, elles ne demandaient pas mieux: mes chers petits étaient adorables et c'était de l'argent facile pour elles. Toutes ces années, il a cru m'anesthésier dans le luxe, la facilité, parce que je le lui ai laissé croire. La vérité est que je rongeais mon frein, dans l'attente de mon heure. Pendant que son patrimoine grossissait à vue d'œil, moi, c'est ma haine qui enflait. La haine se trouvait dans l'œil de mon cyclone dévastateur, les vents violents autour étaient nourris de honte, d'humiliations, d'amour-propre blessé, d'engagement et d'espoir bafoués. Climat peu recommandé pour des enfants de toute façon!

Les parfums me donnaient la nausée quand je lavais son linge sale. Jamais je n'ai voulu en porter.

J'ai commencé, un matin, par désirer qu'il meure. Un accident de voiture, une crise cardiaque, un cancer. Peu importait la cause. Or, plus monsieur Fleury prenait de l'âge, plus il faisait d'exercice, plus il baisait maîtresse par-dessus maîtresse sans se soucier des fragrances qui le trahissaient, et moins il vieillissait! À la cinquantaine, Michel était plus beau, plus charismatique, plus sensuel qu'à 20 ans! Le sexe était son eau de jouvence. Son élixir aux vertus multiples...

Petit à petit, j'ai commencé à prendre mon désir pour une réalité: et si, moi, je faisais en sorte qu'il meure. Ça posait toutefois problème. Il n'était pas question que, moi, advenant qu'on me coince, je paie la note pour sa vie de concupiscence et d'égocentrisme, de débauche, de mensonges et de manipulations. Faire appel à des professionnels? Ça m'a traversé l'esprit, mais pas longtemps. On n'est jamais mieux servi que par soi-même, me suis-je dit.

Et puis, un jour, c'est lui-même qui m'a fourni la possibilité de mettre mon plan à exécution.

Jusqu'au printemps 2012, ses relations extraconjugales avaient été éphémères: une heure (sûrement), un jour, une semaine, un mois, rarement plus. Tout au long de sa recherche effrénée de sexe, j'imagine qu'il ne songeait qu'à ajouter des proies à son prestigieux tableau. Or, à partir de cette période, le parfum est resté le même. Un parfum délicat dont j'ai, étonnamment, apprécié l'odeur de jasmin mêlée de fleur d'oranger. Un mois, deux mois, six mois... Plus le parfum persistait, plus Michel changeait.

Il passait beaucoup moins de temps à la maison ; et, quand il s'y trouvait, il se terrait dans son atelier. Il reportait sa retraite. Il devenait brusque, impoli, voire grossier, ne cessant de me reprocher de ne plus être assez *pétillante*. J'avais ce mot en horreur, il me faisait l'effet d'une arête coincée au fond de la gorge. Avait-il l'intention de me quitter pour cette maîtresse-là ? Après toutes ces années pendant lesquelles j'avais supporté les frasques de cette bête de sexe immonde, aurait-il rencontré une femme dont il serait tombé amoureux ? Une âme sœur ? Allais-je tout perdre ? Ma dignité, ma fierté, mon statut de reine, le patrimoine fabuleux de Michel, et ma précieuse bibliothèque ? À l'idée qu'une parfaite inconnue prenne ma place dans cette maison que je chérissais, et qu'elle vienne tout salir, j'ai senti une rage folle m'habiter. Ça changeait de la haine.

J'ai vraiment réalisé à ce moment-là que je n'avais été pour Michel qu'une banale figurante, que je n'avais joué qu'un rôle très secondaire. Je suis devenue érudite : à force de tout lire depuis l'enfance, on le devient, forcément. Lors de nos nombreuses réceptions mondaines, moi, la parfaite hôtesse, je brillais par ma conversation pendant que lui faisait le paon. S'il était marié à une femme si cultivée, si *classe*, c'est qu'il devait l'être lui aussi, obligatoirement. Sinon, elle ne l'aurait pas épousé. C'est ainsi que pensent les parasites, les narcissiques. Michel Fleury était tout ça et, en plus, il était bête, insignifiant, ignare en tout.

(Inutile de m'éloigner pour le moment. J'aurai largement le temps d'y revenir dans le roman que j'écrirai plus tard. Là, bien sûr, je m'attarderai en longueur sur les caractères de **tous** les personnages, le mien y compris.)

Cette femme, donc, avait une influence certaine sur mon mari. Probablement d'ordre sexuel, mais quoi d'autre ? Je commençai à imaginer tout plein de scénarios. Les romans m'y ont grandement aidée. Si, moi, je réussissais à la manipuler aussi (car Michel la manipulait déjà sûrement), peut-être arriverais-je à en faire ma complice pour me débarrasser de lui ? Car j'étais consciente d'une chose : je ne pouvais y parvenir seule.

Je ne perdais rien à tenter le coup. C'était de toute façon très stimulant. C'est étrange la façon dont l'imaginaire réagit à la stimulation. Ça me faisait penser à l'ovule qui réagit au contact du spermatozoïde. Le premier processus est d'ordre mental, le second, physique, mais ils sont identiques. L'idée se développe d'elle-même dans l'esprit, tel un enfant qui grandit dans le sein de sa porteuse. Un premier scénario s'est ainsi développé, rapide comme l'éclair.

J'aime l'ordre, par-dessus tout. Je me devais donc d'être parfaitement ordonnée, dans mon plan.

1. Faire passer le meurtre de Michel pour un suicide.

2. Le corps ne devra porter aucune marque suspecte, autre que la corde pour se pendre ; mais, pour obtenir ce résultat, l'aide d'une complice est nécessaire. Car je n'y parviendrai jamais, seule.

3. Amener cette complice à désirer s'impliquer autant que moi dans la mort de Michel.

4. Faire en sorte que le mobile du suicide de Michel s'avère d'ordre sentimental ou passionnel (puisqu'aucune autre raison valable ne viendra étayer la thèse du suicide).

5. Précipiter d'une quelconque manière la mort de ma complice ?

J'ai suivi Michel, un mercredi. Il la voyait plusieurs fois dans la semaine. Ce jour-là, immanquablement, il a quitté son bureau pour se rendre directement chez elle. Ensuite, pendant des jours, je l'ai épiée, elle. Annie Després était une très belle femme, plus jeune que moi. Elle semblait, même de loin, très réservée, quasi effacée. Ce qui m'a grandement étonnée au départ. Puis, rassurée. J'ai tout appris d'elle : son métier, son lieu de travail, ses activités, ses rencontres, ses sorties. Je notais tout. Elle était très solitaire et, mis à part sa famille, elle ne voyait personne. Ce qui m'arrangeait au plus haut point. Le meilleur endroit pour l'aborder a été la bibliothèque où elle se rendait trois ou quatre fois par semaine, le soir. Elle y passait souvent près de trois heures. Nous avions donc la lecture en commun! J'ai pris ce hasard comme un signe du destin. Je n'avais aucune crainte qu'elle me reconnaisse: il aurait été étonnant que Michel lui ait montré des photographies de moi...

Je me souviens de notre première rencontre, en janvier 2013.

Elle était assise, concentrée et tranquille, à lire un livre. Je me suis installée à côté d'elle, avec une revue. Et je lui ai dit bonsoir, avec mon plus gracieux sourire. Il était loin d'être faux, car elle me plaisait bien, celle-là; je n'arrivais pas à la détester et encore moins à lui en vouloir. C'était une victime après tout, comme moi. C'est ainsi que notre «amitié» a commencé. N'étions-nous pas toutes deux accros à la lecture? Au fil des rencontres régulières, pendant lesquelles je m'assurais de ne jamais être assise au même endroit dans la bibliothèque, je me suis immiscée dans sa vie. Je l'ai amenée à se confier, par exemple, en lui faisant remarquer qu'elle semblait soucieuse, ou malheureuse. Elle était si influençable, si naïve, malléable comme une pâte à modeler. Évidemment, elle m'a raconté sa liaison avec un homme marié, ses doutes, ses incertitudes. Elle savait qu'il lui mentait. Qu'il la manipulait. Quitterait-il sa femme pour elle comme il le lui promettait sans cesse? Blablabla.

Un soir de printemps, elle rayonnait littéralement. Je lui ai demandé la cause de ce grand bonheur qui semblait l'habiter. C'est là qu'elle m'a montré le cadeau que son amant lui avait offert. Un magnifique cœur, serti d'or, qu'elle portait à une chaîne en or sous son chemisier. Une pure merveille. C'était une aigue-marine, sa pierre de naissance. Elle était donc née en mars, comme ma fille! Puis, excitée comme une jouvencelle, elle a sorti les boucles d'oreilles de son sac. Elle ne pouvait les porter, devant se faire percer les oreilles avant. *Il doit sûrement m'aimer pour m'offrir un tel cadeau, non? Sûrement*, ai-je répété en écho. La chaîne en or et les bijoux valaient, selon elle, quelques milliers de dollars. Je n'en doutais pas une seconde. J'ai failli exploser de colère, mais je n'ai rien laissé paraître. Tout ce que j'avais reçu, moi, à mon anniversaire, c'était des fleurs *presque fanées* ou du chocolat quasi périmé! Si cette colère a fait une chose, c'est de renforcer ma détermination. Annie a ajouté candidement: *Il sait que j'ai peur de mourir noyée! J'ai tellement peur de l'eau, et cela, depuis que je suis toute petite. Cette pierre protège les marins, à ce qu'on dit. Il tient donc beaucoup à moi, il ne veut pas me perdre.*

Au fur et à mesure de nos rencontres, elle m'a invitée chez elle; elle a souhaité aussi que nous fassions quelques sorties, toutes les deux. Pas question qu'on nous voie ensemble où que ce soit. J'ai décliné poliment, trouvant mille et un prétextes, et remettant toujours à plus tard. Elle semblait chaque fois déçue, mais bien trop timorée pour insister. Un soir, bien préparée, je suis arrivée soi-disant «dans tous mes états». C'était à mon tour de me confier, elle était disposée à m'écouter, à me rendre la pareille: *Ne sommes-nous pas amies, Clairette?* (J'avais légèrement transformé mon prénom.) Je lui ai avoué, en précisant bien que je n'avais jamais parlé de cela à personne auparavant et que ces confidences devaient rester secrètes, que mon mari était un manipulateur, un menteur, qu'il me trompait depuis plusieurs années. Qu'il avait eu des dizaines, voire des centaines de maîtresses. J'ai mis le paquet pour le noircir, l'avilir, en ajoutant que je craignais qu'il ait abusé, et abuse encore, de ma merveilleuse fille. Bref, je vivais l'horreur. Bien sûr, j'avais menacé de le quitter, de le dénoncer, mais j'avais trop peur de lui. Poussé à bout, il n'hésiterait pas à nous faire du mal. Mon mari était un loup-garou déguisé en prince.

Madeleine relut deux fois plutôt qu'une ce dernier passage. C'était la description que Marie avait faite elle-même de Fleury!

Et j'ai pleuré toutes les larmes de mon corps, comme j'ai appris à si bien le faire. Je l'ai émue et profondément bouleversée

250

ce soir-là. Un rôle à la pleine mesure de tous ces personnages qui m'habitaient depuis des années...

Pendant des semaines, nous avons échangé nos confidences, et je lui en disais toujours un peu plus chaque fois sur mon mari jusqu'à ce qu'elle reconnaisse en lui son propre amant. Évidemment, prenant son courage à deux mains, elle en est venue à me demander son nom. Après ma réponse, devant son regard ahuri, son teint livide, sa bouche ouverte, ses yeux exorbités, je me suis exclamée: *Non!? Oh non, ma chère Annie, ne me dis pas que Michel, c'est ton...* Comme je m'y attendais, elle m'a aussitôt dit: *Je croyais que sa femme s'appelait Claire! Il abhorrait ce prénom de Clairette que j'aime tant, moi, il le trouvait niaiseux. Il m'a toujours juste appelée... Claire. Je suis désolée, Annie, si j'avais su, si j'avais su, jamais je...*

C'est si facile de manipuler les gens, tout compte fait!

La première partie du plan fonctionnait. Ma haine et ma honte déteignaient sur elle au fil des heures. Mon désir de vengeance devint le sien. Ce qui l'avait le plus horrifiée et qu'elle ne pouvait accepter (et je l'avais prévu), c'était l'inceste. *Un tel homme ne mérite pas de vivre*, m'a-t-elle déclaré, anéantie, déshonorée d'avoir aimé et copulé avec un pareil monstre. *Tu sais ce que je crois, Annie? Il n'y a pas de hasards dans la vie. Nous nous serions rencontrées juste... comme ça? Par pur hasard? C'est impossible, voyons! Il y a une raison à tout ça, je ne cesse d'y penser. Peut-être celle de nous unir pour débarrasser la surface de la terre de ce genre de... de pervers dangereux? Faisons-le mourir, sinon c'est ma fille et moi qui allons disparaître un jour ou l'autre*, lui ai-je lancé en sanglots déchirants. *Veux-tu vraiment être responsable de ça, Annie?* J'avais touché là une corde extrêmement sensible.

Nous avons tout planifié à la bibliothèque. Personne n'a jamais fait attention à nous. Le monde est indifférent à tout ce qui n'est pas «leur petite affaire à eux». Elle ne devait sous aucun prétexte éveiller les soupçons de Michel et, pour cela, elle devait poursuivre leur liaison. Elle s'en sentait incapable, et pour cause! Je lui ai conseillé de voir son médecin pour qu'il lui prescrive un médicament qui l'aide à supporter la situation et à passer au travers. Elle n'avait qu'à prétexter une «très mauvaise passe» dans sa vie et le besoin d'un puissant antidépresseur.

Puisqu'elle n'avait jamais eu d'enfants elle-même, j'ai joué à fond la corde de la fibre maternelle (un manque criant dans sa vie) et elle a consenti à le faire *pour sauver ma fille chérie*...

Puis vint juillet.

Le mercredi soir, le 25 juillet donc, en début de nuit (j'avais mis un somnifère dans le café de Michel), je suis allée la prendre à deux coins de rue de chez elle et je l'ai amenée à notre chalet à Saint-Charles-de-Bourget, au bord du Saguenay, situé à une demi-heure d'Alma. Annie avait appelé sa sœur comme convenu pour l'avertir de son escapade en solitaire quelque part en villégiature. Elle devait emporter juste son sac à main et un sac à dos avec quelques effets personnels. Pas de téléphone, pas d'ordinateur. J'avais prévu de la nourriture pour elle. Sous aucun prétexte elle ne devait sortir du chalet, fort heureusement en retrait de toute autre habitation.

Le samedi 27 juillet, je suis venue la voir en après-midi pour peaufiner notre plan. J'ai pris soin de m'arrêter au dépanneur, histoire de me faire bien remarquer. Annie était extrêmement nerveuse, elle avait les traits tirés, mais souhaitait que toute cette situation, qu'elle ne pouvait plus supporter, se termine. Le déshonneur la rongeait au plus haut point. Peut-être éprouvait-elle encore du désir ou de l'amour pour lui, c'était possible, et ce sentiment dévastateur, entaché de honte, la rendait sûrement folle. C'est alors qu'elle m'a annoncé sans état d'âme qu'elle mettrait ensuite fin à ses jours.

Le dimanche est arrivé. Un jour pluvieux et triste. Parfait pour ce que nous avions à faire. Ces jours-là, Michel se sentait des ailes pour construire des meubles ou des bricoles insignifiantes qui rapportaient tellement de *bel argent au noir*... Tel un perroquet stupide, il répétait sans cesse que l'argent, on n'en avait jamais assez.

Vers 18 h, j'ai dit à Michel que j'avais oublié mon téléphone cellulaire au chalet, la veille, et que je partais le chercher. Il a offert d'y aller à ma place, pour la forme, car au fond, loin de lui l'idée de bouger de la maison. J'ai prétendu que ça me ferait une petite sortie, puisque j'aimais conduire. Comme toujours, il n'a pas insisté et il est aussitôt redescendu en sifflotant dans son atelier. Je comptais revenir à la brunante, qui tomberait vers 20 h. Une fois de retour avec Annie, celle-ci s'est penchée pour qu'on ne la voie pas. Je suis rentrée d'abord, afin de m'assurer de la présence de Michel dans l'atelier. La musique résonnait, les outils ronronnaient, il y était. J'ai fait passer Annie par la cuisine et l'escalier de service qui donne au premier étage. Ni vu ni connu. Dire que je voulais condamner cet escalier qui ne servait jamais, sinon aux enfants de Rébecca qui s'y amusaient bruyamment! Je l'ai conduite vers la chambre des visiteurs et lui ai dit de m'attendre, de s'étendre sur le lit, sans bouger. Je l'ai encouragée: *Tout se passera bien, ne t'en fais pas. Tout se déroule comme prévu.* Elle semblait à la fois calme et dangereusement déterminée. Tout comme moi.

Là, j'ai fait quelque chose de dégoûtant, mais c'était un mal nécessaire. J'ai enfilé un soutien-gorge noir affriolant, en dessous d'un chemisier long et transparent, et un collant très moulant, sans petite culotte en dessous. J'ai versé une bière dans un verre en y ajoutant un anxiolytique et deux somnifères. J'avais remarqué, avant de partir à 18 h, que Michel avait déjà bu six ou sept bières – les cannettes vides jonchaient salement le comptoir de mon impeccable cuisine. C'était chez lui un rituel dominical: bières, vêtements usés à la corde et désordre à volonté.

Et puis, je suis descendue dans l'atelier où Michel se trouvait toujours.

Il a d'abord été surpris de me voir entrer carrément dans son domaine, puis étonné de ma tenue suggestive. Il m'a demandé si j'avais récupéré mon téléphone.

«Oui, merci, il était bien au chalet. Tu sais de quoi je rêve depuis des mois, Michel Fleury?

— De nouveaux livres, j'imagine?... Je te taquine. Merci pour la bière, en passant!

Il l'a sifflée quasiment d'un trait, lui qui était déjà passablement éméché.

— Mon plaisir, cher. Je rêve de... ah, et puis, ça me gêne trop.

— T'es super *pétillante*, habillée comme ça! Viens là, ma p'tite pute chérie. J'aime ça t'appeler comme ça, fâche-toi pas, OK? Moi, je rêve de te baiser dans l'atelier depuis des années, tu le sais, ça? C'est long en maudit des années, madame Tanguay! Oups, ça rime!

— Arrête, t'es trop fou. Finis ta bière et, ma foi, peut-être que je me laiss...

— Tiens, finis-la, toi, ça détend, tu sais.

— Je viens de terminer un verre de vin blanc, je l'ai pris en haut!

— Eh ben, madame Tanguay, on se dévergonde? C'est ça qui te donne ces belles rougeurs? Hum... Il n'est jamais trop tard pour bien faire le mal, ma Claire d'amour.»

Il ne croyait pas si bien dire, le pauvre! C'est exactement ce à quoi je m'apprêtais: bien faire le mal.

Pendant qu'il terminait sa bière, devenant de plus en plus émoustillé, j'ai retiré lentement mon chemisier, lui ai lancé un clin d'œil coquin et il n'y a vu que du feu! Il a carrément perdu le nord quand il a posé ses mains sur mes fesses et a constaté que je ne portais pas de... bref.

Contre toute, mais vraiment toute attente, j'ai joui, et je crois que c'est l'orgasme le plus puissant que je n'aie jamais ressenti. Michel – il faut rendre à César ce qui appartient à César – a toujours été un amant extraordinaire. Ses mains caressaient sublimement la peau d'une femme, elles la polissaient et l'adoucissaient d'une manière exquise et savante. Quiconque se serait sentie devenir un objet d'art entre ses mains expertes. Or là, c'était moi, l'amante fantastique. Non, mieux : n'étais-je pas la parfaite incarnation de la... mante religieuse ? Ce mâle amoral se retrouvait à ma merci. Je le dévorerais tout cru ! Je me suis sentie euphorique. Tellement puissante. Peu après, il a vacillé, disant qu'il se sentait super étourdi. Je lui ai conseillé de s'asseoir un peu par terre, avant de monter à l'étage. Je lui ai dit craindre qu'il ne tombe et ne se fasse mal. Ce serait trop bête de faire une vilaine chute dans l'escalier ! *On est si bien... on pourrait remettre ça*, lui ai-je susurré à l'oreille. Il s'est assis, docile, bourré, ravi, béat.

Il ne s'est jamais relevé.

J'ai attendu qu'il dorme profondément. Puis je suis montée à ma chambre pour me changer et je suis ensuite allée chercher Annie.

La pauvre fille était dans un état second. Elle avait sûrement très peu dormi en trois jours. On aurait dit le fantôme d'elle-même. Vraisemblablement, elle avait perdu tous ses repères. Tant mieux. Quand elle a vu Michel, assis par terre, complètement inerte, elle l'a cru mort et a reculé d'effroi. Je suis venue vers elle : *C'est maintenant que ça se passe. Nous devons garder notre sang-froid.* J'ai couru à la salle de lavage, j'ai enfilé des gants. J'y avais caché la corde avec le nœud coulant pour le pendre. J'ai d'abord mis la corde dans les mains de Michel, pour ses empreintes, au cas où. Puis je l'ai passée adroitement autour d'une poutre, en faisant un nœud appelé d'amarrage à deux tours et deux demi-clefs. J'avais largement eu le temps de chercher sur le Web et de m'entraîner. Nous n'avons eu qu'à bouger avec précaution le corps de Michel en dessous de la poutre, à le hisser pour faire glisser sa tête dans le nœud coulant et hop, terminé. *Il est très lourd ; jamais, jamais je n'y serais parvenue seule,* ai-je dit à Annie. Nous étions toutes deux en sueur.

Ne manquait plus qu'à renverser le petit banc sur lequel Michel aurait prétendument grimpé pour se pendre. Ses pieds ont flotté au-dessus du sol, et il a suffoqué presque aussitôt. Mon métier d'infirmière m'a servi! Qui eût cru que ce serait un jour pour m'assurer moi-même de la mort de mon mari? *Pour le meilleur et pour le pire, Michel Fleury.* C'est l'adieu que je lui ai fait. Il était hors de question de laisser une lettre d'adieu de sa part, puisque mon cher époux était connu pour ne jamais exprimer quelque émotion ou sentiment que ce soit.

Nous avons tout vérifié, puis j'ai éteint la lumière, et nous sommes remontées au salon.

Ensuite, eh bien, ce qui est arrivé, je ne l'avais pas planifié, du moins pas si vite et pas en détail.

Annie a piqué une crise nerfs, comme si elle sortait soudain de son état léthargique. Elle ne parvenait pas à croire à ce qui venait de se passer, c'était un cauchemar! Elle allait se réveiller! Elle regrettait, ne comprenait plus rien. Elle insistait en hoquetant pour que je la raccompagne, elle ne voulait plus rester dans cette maison une minute de plus. Avait-elle l'intention de nous dénoncer? Déjà?... Tout était envisageable. Je l'ai enjointe de se calmer, je lui ai affirmé me sentir comme elle, désemparée. C'est vrai que l'inquiétude m'a gagnée à ce moment-là. Je lui ai dit qu'il était impossible pour moi de conduire dans cet état, que nous aurions un accident à coup sûr. Que nous devrions nous calmer d'abord, boire quelque chose. Elle a accepté, elle voulait plus que tout croire à mes bonnes intentions. Dans sa consommation, j'allais ajouter les mêmes comprimés que pour Michel, mais je me suis retenue à la toute dernière seconde. *Ce n'est franchement pas l'idée du siècle, chère,* me suis-je sermonnée. Et je me suis souvenue des antidépresseurs prescrits par son médecin. J'ai couru jusqu'à la chambre des invités et fouillé son sac à dos en toute hâte; le flacon de comprimés s'y trouvait. J'en ai écrasé trois et les ai dilués dans son verre. Très vite, à bout mentalement et physiquement (elle m'avait confié dans la voiture n'avoir

presque pas dormi ces dernières nuits), elle s'est sentie extrêmement fatiguée. Je lui ai proposé de prendre un bain pour se re-
laxer, en prétendant qu'après je serais en mesure de la
raccompagner. Encore une fois, elle a consenti, comme un auto-
mate. Annie était incapable de dire non à qui que ce soit et encore moins dans une telle condition d'épuisement total! Elle était
dans le bain depuis trente minutes, et je n'entendais plus aucun
bruit. Quand j'ai ouvert la porte de la salle de bain, Annie était
dans la baignoire et y dormait profondément.

En la regardant, si fragile, si vulnérable, j'ai compris que cette
femme serait incapable d'assumer ses choix. Elle serait incapable
de vivre avec *ça* sur la conscience. Elle était trop douce, trop
naïve, trop rêveuse. Et bourrée, à mon avis, de problèmes non résolus. Et, surtout, elle était encore follement amoureuse de Michel
et ne pourrait pas vivre sans lui. C'est alors que ses propres paroles de mars me sont revenues en mémoire: *Il sait que j'ai peur
de mourir noyée!* Et la décision de la supprimer m'est apparue
tout naturellement. L'occasion était inespérée. Et ne se reproduirait plus. Ne voulait-elle pas en finir? J'ai juste eu à enfoncer sa
tête, à la maintenir... et attendre qu'elle se noie. Elle s'est à peine
débattue. Elle est morte noyée finalement, la pauvre.

Je suis allée au salon, me suis assise et j'ai siroté mon verre.
Je devais réfléchir, j'avais la nuit devant moi. Le suicide de Michel
semblait parfaitement réalisé. Ne restait qu'à déguiser la mort
d'Annie en suicide. Et la surdose d'antidépresseurs venait provi-
dentiellement servir cette fin! Ça ne me posait aucun problème
d'ordre technique. Personne ne pouvait voir ce qui se passait: la
façade de notre maison et le stationnement de nos voitures don-
nent sur le lac. Sans compter les haies de cèdres de huit pieds de
haut qui bordent latéralement la propriété. Et Annie Després était
à peine plus lourde que moi.

Je lui ai d'abord enlevé ce cœur, en laissant la chaîne à son
cou. J'ai remarqué qu'elle ne portait pas encore les boucles
d'oreille assorties, et j'ai fouillé son sac à main et son sac à dos.

Sans résultats. Puis, je n'ai eu qu'à la rhabiller, qu'à draper son corps dans un épais tapis. Elle était si légère! Je l'ai mise dans le coffre de la voiture et me suis rendue à notre chalet. Une fois sur la grève, j'ai enfoui quelques grosses pierres dans les poches de son trench-coat, puis j'ai poussé son corps dans le Saguenay. Je me suis débarrassée de ses effets personnels tout au long du chemin du retour, c'était le soir des poubelles!

De retour à la maison, j'étais en sueur, ce qui m'arrive très rarement, et j'ai dû prendre une douche. J'ai compris sous le jet qui me lavait que cette deuxième mort (survenue presque en même temps que celle de mon mari) venait me fournir une formidable hypothèse de rechange, au cas où la police ne se contenterait pas des deux suicides passionnels.

6. Michel Fleury : finalement accusé de meurtre, et qui s'est enlevé la vie après.

Je savais d'entrée de jeu qu'on mettrait en doute le suicide de Michel. Et je me le suis rappelé. *Fleury, un candidat au suicide, jamais de la vie, voyons!* Forcément, c'est ce que tous affirmeraient. Il n'avait aucun problème financier, ses affaires tournaient à merveille. Il était en parfaite santé. En revanche, les mobiles me concernant, héritage, haine et humiliation, sauteraient aux yeux du plus aveugle!

D'où la nécessité d'une enquête.

On apprendrait qu'il avait eu plusieurs maîtresses et mené une vie de débauche. La police arriverait à sa dernière conquête, laquelle, étrangement, avait disparu sans laisser de traces! Mais le fait que Michel l'ait fréquentée aussi longtemps devenait un atout en ma faveur. Serait-il finalement tombé amoureux de *celle-là*? Ce serait une question digne d'intérêt. Ils creuseraient donc et découvriraient les boucles d'oreilles en forme de cœur – car celles-là, je ne les avais pas retrouvées dans le sac d'Annie. Et là encore, c'était providentiel!

Il ne me restait qu'à tabler sur cette relation passionnelle. Et l'aigue-marine en forme de cœur, qui faisait partie de l'ensemble offert par Michel à sa maîtresse, serait l'indice, l'élément à charge qui ferait, _si besoin était_, passer Michel Fleury pour « le » meurtrier d'Annie Després !

Si le corps d'Annie refaisait surface un jour, je n'aurais qu'à placer ce pendentif dans l'atelier pour faire croire à la présence d'Annie sur les lieux. Mais seulement **si** son corps était retrouvé. Dans ce cas, sûrement que l'on reviendrait m'interroger. Peut-être la police prévoirait-elle de revisiter l'atelier pour y chercher des indices ? Fort probable. C'est pourquoi, juste avant leur visite, j'y aurais mis le cœur plus ou moins en évidence. Dans le cas où le corps d'Annie ne refaisait jamais surface, Michel se serait suicidé par dépit, par manque de courage de n'avoir pas pu me quitter pour elle, cette femme dont il était tombé amoureux. Et elle, eh bien, elle se serait probablement donné la mort, ne pouvant vivre sans lui. Le mobile du suicide de Michel restait excellent et, de toute façon, ma complice disparue à jamais, on ne posséderait absolument aucun élément à charge contre moi.

Comme par magie, ma fille avait perdu le cadeau de son père chéri, également une aigue-marine ! Il le lui avait offert en mars, aussi.

La phase « de rechange » du plan initial s'est enclenchée quand le corps d'Annie a refait surface en octobre. Lorsque Bonneau a retrouvé le pendentif, dans l'atelier, je n'ai eu qu'à prétendre qu'il était à ma fille, elle aussi née en mars, brouillant ainsi les pistes dans un premier temps, tout en me disculpant à coup sûr. Comme prévu, la police a fini par apprendre que ce cœur appartenait bien à Annie Després. Ils ont dû vérifier auprès de Rébecca ou bien ils sont tombés sur les fameuses boucles d'oreilles en forme de cœur qui faisaient partie de l'ensemble. Je l'ai compris quand le lieutenant, j'ai oublié son nom, le patron de Bonneau, m'a appelée hier, pour que je vienne faire une nouvelle déposition au poste de police. Il a refusé que cela se passe chez moi, mais ce n'est pas important. Demain, je n'aurai qu'à accuser Michel Fleury du meurtre de sa maîtresse, ici même, dans ma _chère maison_. Tout est savamment orchestré dans ma tête. Je parlerai du vendredi soir, de la journée du samedi, de cet arrêt au dépanneur de Saint-Charles, du dimanche, et ainsi de suite... Ils auront là un motif de perquisition, c'est évident. Mais elle s'avérera stérile.

J'aurai largement le temps, avant qu'ils n'arrivent, d'enfouir précieusement ces quelques feuilles dans la cachette secrète de Michel dans l'atelier, là où il entassait tout son argent au noir. Là où se trouve déjà le pendentif, que je n'ai pas jeté à la poubelle (car c'est ce que je prétendrai demain). Ce cœur, c'est un peu mon doigt d'honneur posthume à Michel Fleury. Des centaines de beaux billets de banque remplacés par un seul cœur, devenu **son** funeste présage! S'il ne m'avait pas un jour montré cette cachette astucieuse et expliqué le mécanisme intelligent des planchettes, jamais je n'aurais pu la découvrir. Ses mains en or me sont encore utiles, même après sa mort!

Jusque-là, je suis si fière de moi que je préfère laisser ces pages dans mon livre fétiche: *Anna Karénine,* une œuvre grandiose, comme ce que je viens d'accomplir moi-même! Je peux les relire à satiété. J'en suis enfin l'auteure!

J'ai fini de vivre à travers les écrivains, je vis désormais **parmi** eux.

Un jour, cette histoire deviendra l'essence d'un roman extraordinaire, j'en suis certaine! Ne suis-je pas patiente de nature? Je saurai attendre mon heure. *Tout vient à point à qui sait attendre*: j'en sais quelque chose!

M. B.

L'affaire fit sensation dans les journaux et tous les médias de la province.

Une richissime veuve plaide coupable à deux homicides prémédités au Lac-Saint-Jean !

Deux meurtres auraient été « parfaits »,
n'eût été la persévérance d'une enquêteure chevronnée d'Alma !

L'orgueil aura eu raison d'une meurtrière machiavélique.

Bonneau fut largement encensée au passage. Et à juste titre. Marie avait refusé qu'on mentionne son nom ou sa coopération dans l'enquête. Elle considérait n'avoir rien fait *d'extraordinaire*. Madeleine était en complet désaccord avec cette affirmation, mais comprenait que son amie désire rester dans l'ombre et elle respectait ce choix. Claire Tanguay avait plaidé coupable, évitant ainsi un procès retentissant qui aurait éclaboussé ses enfants et petits-enfants au passage. Madeleine doutait qu'elle l'ait fait pour eux, mais peu importait : le résultat les englobait par la force des choses. La défense et la poursuite s'étaient mises d'accord pour un emprisonnement de vingt-cinq années, sans aucune possibilité de libération conditionnelle. Claire Tanguay sortirait de prison à 85 ans.

Madeleine se rendait chez son amie qui l'avait invitée à souper pour célébrer cette retentissante victoire. Un des frères de Marie était de passage dans la région et elle tenait à le lui présenter. Elle le lui avait dépeint comme un homme érudit, grand voyageur, passionné de nature, d'espace, de marche, de gastronomie et de romans policiers ! C'était toujours agréable de rencontrer du nouveau monde...

Madeleine se remémora les deux moments forts qu'elle avait évoqués avec Marie, une fois l'enquête bouclée. Le premier avait été sans contredit ce tournis de sensations inédites, ce mini voyage dans l'espace-temps quand elle avait vu l'arcane 12 du tarot appelé *le Pendu*. Elle n'aurait pas réagi ainsi si Marie lui avait montré cette carte en rapport avec Fleury. Sa réaction provenait du fait que cela s'était passé pendant l'évocation du thème d'Annie qui n'était alors que « portée disparue ».

« On aurait dit, Marie, que l'image, tout en me menant inexorablement vers le futur d'Annie, me propulsait dans le passé de Fleury, que j'ai vu de mes yeux pendu à une corde. J'ai pensé que c'était à la fois tordu et limpide. Incompréhensible et pourtant évident. À la fois singulier et *pluriel*. Faut le faire : tout était dans ce moment-clé ! J'en demeure époustouflée, tu sais... »

Le deuxième concernait la toute dernière remarque de Marie avant le dénouement, après que Bonneau eut évoqué l'impossibilité de trouver des preuves pour accuser Claire Tanguay : « *Nous sommes tous plus ou moins à la recherche de la perfection, Mado, mais la perfection n'est pas encore de ce monde. Tu trouveras la faute, le moment venu.* »

« T'as beau affirmer ce que tu veux, moi, je n'en démords pas, Marie Bouchard. T'as eu là une sorte de… hum… vision ou prémonition ou sixième sens, c'est pas possible autrement ! Tu aurais pu dire l'imperfection ou le vice ou l'erreur, mais non. Tu as utilisé le mot "faute". Et moi, peu après, une fois devant ce fameux texte, que je crois de la main de Fleury, je remarque soudain cette lettre **s**… et je pense qu'on ne peut quand même pas faire une telle "**faute**" grammaticale en pareil cas ! Et tes paroles me reviennent en un éclair pour me montrer la vérité. En tout cas, moi, je trouve ça EXTRAORDINAIRE, chère madame M. B. »

La chaleur humide était suffocante. On était en août. La climatisation de la voiture fonctionnait à plein régime. Sur le parcours restant, Mado songea à sa récente conversation téléphonique avec Alexis Trottier. Il lui avait fait part de l'obtention de sa demande de mutation pour Calgary. Une fois sur place, Rébecca postulerait à d'éventuels emplois dans les écoles francophones du coin. Les enfants n'étaient pas enchantés de partir si loin, de quitter leurs amis et grands-parents paternels et d'avoir à se familiariser avec l'anglais, mais avaient-ils un autre choix ? *Pas vraiment*, avait admis l'enquêteure.

Quand Madeleine avait appelé le mari de Rébecca ce jour de la fin avril pour lui faire part de la terrible conclusion de l'enquête, avant qu'il ne l'apprenne par les médias, Alexis avait été sidéré. Il était demeuré sans voix pendant plusieurs secondes. Complètement renversé. Madeleine lui avait offert de venir à Québec et de l'accompagner pour mettre Rébecca au courant des faits. Il avait accepté de bon cœur.

Contre toute attente, la fille de Michel Fleury, sur la voie de la guérison et sur le point de reprendre une vie de famille

« normale », avait reçu la nouvelle avec une force de caractère remarquable. Elle avait lentement lu la confession de sa
mère, s'arrêtant sur plusieurs passages, pleurant, hoquetant,
puis était restée longtemps silencieuse. Bonneau avait eu le
sentiment qu'il semblait plus « logique ou prévisible » – le
terme adéquat lui échappait, et y en avait-il même un en
pareilles circonstances ? – pour Rébecca de concevoir sa mère
en meurtrière plutôt que son père *en suicidé*.

En fait, la raison en était simple : Rébecca Fleury connaissait Claire Tanguay plus que quiconque sur cette terre.
La fille de Fleury avait toujours su en son for intérieur que
cette femme pouvait être *capable* du pire. Rébecca avait pris
pleinement conscience de cette douloureuse réalité pendant
sa thérapie, et la venue de Bonneau, en mars, pour interroger son mari au sujet de la pierre, n'avait fait que confirmer
son sentiment.

« Alexis m'a tout raconté pour l'aigue-marine. Peu après
votre visite à l'appartement. Cela nous a paru anormal et
illogique que vous continuiez à enquêter sur un suicide après
tous ces mois ! *"Cette pierre découverte dans l'atelier, appartenait sûrement à une femme aux initiales A. D."*, ai-je
aussitôt dit à mon mari, étant donné que vous étiez repartie
avec mon dernier croquis. Et, mon Dieu, c'était bien le cas !
J'ai été certaine alors que le coffret sur lequel travaillait mon
père lui était destiné. J'ai pensé qu'il avait pu commettre
l'irréparable envers cette inconnue, sûrement sa maîtresse,
et se retrouver malgré lui dans des circonstances tragiques
qui ont échappé à son contrôle. Ce qui expliquait enfin son
suicide à mes yeux. Mais un mystère demeurait : ma mère
était au courant de quelque chose ou était impliquée d'une
façon ou d'une autre dans cette histoire. Et je savais qu'elle
ne me dirait jamais rien à ce sujet. Mais jamais je n'ai ima-

giné une seconde qu'elle pouvait avoir prémédité elle-même la fin de mon père et celle de sa... »

Rébecca décrivit Claire Tanguay comme une femme à la double personnalité. Charmante, voire chaleureuse avec des étrangers, mais froide et insensible envers ses enfants. Une soi-disant mère qui l'avait refilée aux voisines quasiment tous les jours de son enfance pour pouvoir faire du ménage et *lire* en paix ; qui ne l'avait jamais embrassée, cajolée et même gratifiée d'un *je t'aime*. Érudite, elle connaissait mille et une facettes du monde, mais ignorait tout de ceux qui l'entouraient. Une femme qui s'inquiétait plus des poussières et des odeurs dans sa maison que des états d'âme de sa fille unique, qu'elle soit fillette, adolescente, adulte ou maman. Une femme qui avait coupé les liens avec ses frères et sœurs, sans aucune amie proche.

« J'ai l'impression que cette obsession pour la saleté a fini par se retourner contre elle en s'accumulant dans son âme ou dans son cœur jusqu'à l'étouffer, et la transformer à son insu. Cette femme n'aurait jamais dû avoir d'enfants, elle ne possédait en elle aucune fibre maternelle », avait tristement conclu Rébecca Fleury.

La vérité était que Claire Tanguay, d'après le psychiatre qui avait suivi Rébecca pendant plusieurs mois, se trouvait à être la source même de son état dépressif. Le fondement initial de son mal-être viscéral. Car le décès du père, si inacceptable fût-il, n'était pas la cause de la dépression en soi. Cette mort en était le point culminant. La disparition et l'absence de la figure paternelle avaient réveillé le volcan endormi en Rébecca. Alexis avait eu raison de dire que l'affection, même prétendue, même intéressée, de Fleury envers Rébecca avait pallié le manque d'amour maternel.

Dans l'acte impardonnable de sa mère, l'épouse d'Alexis allait trouver, une fois pour toutes, un motif de guérir.

« Je n'ai plus à rechercher désespérément l'amour d'une pareille femme, une... meurtrière, ni à l'aimer. »

Après la lecture de la confession, Rébecca était devenue réellement orpheline : Claire Tanguay mourut ce jour-là dans son cœur. Elle était sous le choc, bien sûr, et le serait probablement à vie. De telles cicatrices sont indélébiles. Elle devrait se reconstruire une vie en rayant de son cœur toute figure maternelle. L'enjeu était de taille. Elle aurait besoin d'attentions, d'un amour inconditionnel et constant, et Mado se sentit soulagée de savoir qu'elle les trouverait auprès d'Alexis. Elle avait fait beaucoup de progrès grâce à sa thérapie, qui l'avait préparée en quelque sorte à pouvoir affronter cette nouvelle épreuve. Pour l'heure, seul l'impact que tout cela aurait sur ses enfants et son époux l'emportait sur toute autre considération. C'est pourquoi elle avait demandé à son mari de quitter le Québec le plus vite possible pour aller vivre ailleurs. Loin, très loin de tout le battage médiatique. Elle avait confié ceci à Bonneau à la toute fin :

« Je suis chanceuse qu'il m'aime autant, mon Alexis. Et vous savez quoi, madame Bonneau ? J'aimerai mes enfants et je serai toujours là pour eux. Je ne les abandonnerai plus jamais, à aucun prix. Je connaîtrai *leur monde* avant *le monde*. Alexis a eu raison de garder la *troïda*. Elle a joué son rôle, finalement, elle a permis que nous restions unis. Mon père n'a jamais été une victime dans sa vie, sauf à la fin, bien sûr ! Il a eu de gros torts, a fait d'énormes erreurs de jugement. Il a été menteur, manipulateur, avide, concupiscent, avaricieux, égocentrique, narcissique. Il a bafoué ses engagements, il n'a jamais su aimer que lui-même et n'a jamais tenu compte des sentiments d'autrui, mais peut-être aurait-il dû le faire pour cette femme, cette Annie ? C'est la seule fois où il m'a demandé de dessiner quelque chose de joli avec des initiales. L'aimait-il sans le réaliser, sans avoir pu prendre conscience que c'était ça, l'amour ? Je crois que c'est ce qui est arrivé, madame Bonneau. On dit qu'on finit parfois par être puni par où l'on a péché, non ? Mais il ne méritait tout de même pas d'être lâchement assassiné. En tout cas, merci, madame Bonneau. Je vous serai toujours reconnaissante de m'avoir apporté la vérité. »

Mado soupira d'aise et stationna sa voiture dans l'entrée. Elle récupéra sa bouteille de vin et une boîte de chocolats Lindt, les préférés de son amie. Elle pénétra directement dans la maison, sans sonner ni frapper, en claironnant gaiement comme à son habitude : « C'est moi, la p-o-l-i-c-e ! » Dans le vestibule, alors que Marie venait à sa rencontre, Mado demeura médusée. L'homme qui la suivait... elle l'avait déjà vu... Et le souvenir revint en force : c'était bien lui, aucun doute.

« Ah, ma belle Madeleine, te voilà ! Arrive que je te présente mon frère, Paul !

— C'est... bien vous ? demandèrent à l'unisson Mado et Paul.

— Vous vous connaissez ? » les interrogea Marie au comble de la surprise.

Madeleine et Paul se sourirent.

« Non, répondit Paul, car Mado, intimidée, restait sans voix. Nous nous sommes... hum... juste croisés, l'été dernier sur la plage. Il faisait chaud comme aujourd'hui, si mon souvenir est bon. On se serait crus ailleurs. L'envie d'aborder cette... charmante personne a été très forte ce jour-là, avoua-t-il en jetant un regard de connivence à Madeleine, mais disons que j'ai eu l'impression ou le *feeling* que ce n'était pas le bon moment. Peut-être ai-je un peu attendu ou souhaité qu'elle fasse le premier pas, c'est possible. J'étais de toute façon, tu le sais bien, Marie, à la croisée des chemins, à cette période-là... OK, assez palabré. Cela dit, je suis vraiment très heureux, Madeleine, de vous rencontrer. J'ai tellement entendu parler de vous et de vos talents inouïs d'enquêteure chevronnée !

— Euh... en bien, j'espère ? » ne sut-elle que répondre tant la surprise la tétanisait.

La voix de Paul Bouchard lui plaisait décidément autant que tout le reste, qu'elle avait eu le loisir de contempler déjà, une année auparavant. L'homme de la plage : le frère de Marie, qui eût pu prédire ou même juste imaginer une pareille chose ? Elle songea qu'il ne pouvait qu'être intéressant.

« Évidemment, "en bien", Madeleine Bonneau ! rétorqua Marie en riant, fort heureuse de cette étonnante coïncidence. Il semble que ce soit aujourd'hui que vous allez enfin faire connaissance, et cela, en commençant par vous tutoyer ! Bien des chemins finissent par se croiser chez moi, on dirait, non ?

— On dirait bien, oui, chère madame M. B. », admit Madeleine Bonneau en souriant à sa providentielle, son extraordinaire amie.

À cet instant précis, Mado se dit qu'*extraordinaire* n'était même plus assez fort pour qualifier ce qui se passait en cet instant magique. N'était-ce pas cette petite femme qui l'avait ainsi encouragée un jour de printemps : « *Tu es encore si jeune, ma belle Madeleine. Si prometteuse ! Et à mon avis, tu as raison d'attendre cette fois que le prochain te fasse d'abord signe, ou bien qu'il soit parachuté directement sur ton chemin. En plein milieu de ta route, histoire que tu ne puisses le manquer. Hein, ce serait original, ça ? Ah ! jamais deux sans trois, dit-on... »*

Marie avait mille fois raison de prétendre que bien des *chemins* se croisaient chez elle. Et voilà qu'en ce lieu où l'extraordinaire fleurissait et s'épanouissait simplement, telle une orchidée dont on prend un soin aimant, constant et patient, le troisième moment fort de toute cette aventure lui était « peut-être » personnellement destiné...

Et elle s'entendit demander à l'homme de la plage sur un ton badin :

« Vous... oups... TU... tu ne ferais pas du parachute, par hasard, Paul ? »

Remerciements

Je tiens à remercier le lieutenant et directeur adjoint du Poste de la MRC de Lac-Saint-Jean-Est, Pierre Lavoie, pour le temps qu'il m'a consacré, et pour sa contribution concernant les détails techniques et policiers de ce roman.

Je désire dire un gros merci à mon beau-frère, Laurier Bouchard, pour ses précieux conseils en ébénisterie.

Je profite de cette occasion pour remercier Madame Annie Tonneau, éditrice, et toute l'équipe des Éditions La Semaine de m'avoir fait confiance et de m'avoir si agréablement accueillie au sein de leur maison d'édition.

Je tiens à rendre hommage à ce que j'appelle « les gens de l'ombre », ma correctrice Andrée Laganière pour son talent, son expertise et pour la *lumière* de ses pertinentes remarques.

MARQUIS

Québec, Canada

Achevé d'imprimer au Canada.